Hundesprache

Hundesprache

Wie Sie Ihren Hund verstehen und sich verständlich machen

Herausgegeben von Matthew Hoffman

Wissenschaftliche Beratung: Paul McGreevy

KÖNEMANN

Notiz des Herausgebers

Dieses Buch ist ein Ratgeber und kein tiermedizinisches Nachschlagewerk. Die Informationen, die Sie hier bekommen, sollen Ihnen helfen, das Verhalten Ihres Hundes besser zu verstehen; sie können aber nicht das Fachwissen eines Tierarztes ersetzen. Wenn Sie bei Ihrem Tier eine Besorgnis erregende Verhaltensauffälligkeit feststellen, empfehlen wir Ihnen dringend, fachkundige Hilfe in Anspruch zu nehmen.

Originalausgabe © 1999 Weldon Owen, Inc.
Originaltitel: Dogspeak. How to Understand Your Dog and Help Him Understand You

© 2000 für die deutsche Ausgabe:
Könemann Verlagsgesellschaft mbH
Bonner Str. 126, D-50968 Köln

Übersetzung aus dem Englischen: Karin Szpott
Redaktion: Verlagsbüro Schürmann, Wedel
Satz: Nina Kodal, Hamburg, für Verlagsbüro Schürmann

Projektkoordination: Dr. Marten Brandt
Herstellung: Ursula Schümer

DTP: Reproservice Pees, Essen

Druck und Bindung: EuroGrafica
Printed in Marano Vicenza, Italy

ISBN 3-8290-5677-X

10 9 8 7 6 5 4 3 2

Hundesprache

HERAUSGEGEBEN VON
Matthew Hoffman

MIT BEITRÄGEN VON
Susan Easterly, Elaine Waldorf Gewirtz, Bette LaGow,
Susan McCullough, Arden Moore, Liz Palika, Audrey Pavia

ILLUSTRATIONEN UDN VIGNETTEN:
Chris Wilson, Matt Graif/Merilake

BILDREDAKTION:
Jenny Mills

INHALT

VIERTER TEIL

WENN DIE KOMMUNIKATION SCHEITERT

FÜNFTER TEIL

DIE UMSETZUNG

Einleitung

Menschen und Hunde leben seit Tausenden von Jahren zusammen, doch mit der Verständigung ist das so eine Sache. Wir sagen: »Komm!«, und unser Hund hört: »Riech an dem Baum da drüben!« Bei der ersten Begegnung schnüffeln sie höflich an uns, und wir nehmen Anstoß an diesem rüden Verhalten. Wir fordern sie auf, im Körbchen zu schlafen, nur um mit anzusehen, wie sie sich auf dem Sofa breitmachen. Manchmal hat es den Anschein, als würden wir nicht dieselbe Sprache sprechen. Und das tun wir auch nicht. So intelligent und

wachsam Hunde auch sind, sie hören, sehen und verstehen die Welt vollkommen anders als wir.

In einem Park lief mir einmal ein schöner Irischer Setter über den Weg, der mit seinem Maul einen Tennisball in die Luft warf, ihm hinterherjagte und ihn dann erneut in die Luft warf. Als er mich sah, kam er zu mir gelaufen, ließ den Ball auf den Rasen fallen und starrte mich erwartungsvoll an, dabei wedelte er heftig mit dem Schwanz. Ich bückte mich, um den Ball aufzuheben, und erstarrte, als ich ein unheilvolles Knurren vernahm. Hatte sich der freundliche

Hund plötzlich in einen bösen Wolf verwandelt? Ich sah den Hund an und er mich und dabei wedelte er noch heftiger mit dem Schwanz. Ich griff erneut nach dem Ball – grrr. Ein alter Tennisball war es nicht wert, gebissen zu werden. Beim Weggehen dachte ich: »Was für ein Köter, der weiß auch nicht, was er will.«

Als ich nach Hause kam, erzählte ich die Geschichte einem befreundeten Verhaltensforscher, der die Sache sofort klärte. Die »freundlichen« Signale des Hundes bedeuteten das Gegenteil von dem, was ich vermutet hatte. Das Anstarren, das Wedeln mit dem Schwanz und der aufmerksame Gesichtsausdruck stellten in Wahrheit eine Herausforderung dar. Auf scheinbar spielerische Weise hatte mir der Hund einen Köder ausgeworfen und dann gewartet, ob ich es wagen würde, den Ball aufzuheben. Weil ich die Hundesprache falsch verstand, hatte ich in den Augen des Hundes einen Fauxpas begangen.

Dieses Buch soll der Verwirrung ein Ende machen. Schließlich ist das Zusammenleben mit Hunden deshalb so schwierig, weil sie uns nicht in unserer Sprache sagen können, was sie gerade fühlen. Sie können uns nicht begreiflich machen, warum sie Schuhe zerkauen oder warum ihnen im Haus Missgeschicke passieren. Es liegt an uns, herauszufinden, was sie uns sagen wollen, und dafür zu sorgen, dass sie uns ebenfalls verstehen.

Viele Verhaltensforscher, Ausbilder und Tierärzte haben dazu beigetragen, die komplexe Verständigung zwischen Mensch und Hund zu entschlüsseln. Sie zeigen uns, wie wir uns besser verständlich machen können – ob es sich dabei nun um die Regeln des Ballwerfens handelt oder darum, unserem Hund klarzumachen, wo er sein Geschäft erledigen soll.

Das vorliegende Buch stellt ein umfassendes Hundelexikon dar, das Ihnen helfen soll, sich mit den Hunden in Ihrem Leben besser zu verständigen. Um Hunde richtig zu verstehen, müssen Sie hinschauen, wenn sie etwas sagen. Signalisiert die Stellung der Ohren, ob sie glücklich oder traurig sind? Ein freundliches Wedeln mit dem Schwanz sieht anders aus als ein drohendes Konfliktwedeln. Manchmal bedeutet ein Blickkontakt: »Ich liebe dich«, manchmal aber auch: »Bleib mir vom Leib.« Die Mimik eines Hundes verrät viel über seine Gefühle. Dieses Buch enthält über 170 Fotos und Illustrationen, damit Sie sehen, worauf Sie achten müssen.

Natürlich ist Kommunikation keine Einbahnstraße. Dieses Buch gibt eine Fülle von Tipps, wie Sie Ihrem Hund helfen können, dass er auch Sie versteht. Wir sagen Ihnen, wann Sie Ihre Stimme heben oder senken oder »strenge« Wörter benutzen müssen. Außerdem nennen wir Ihnen die besten und die schlechtesten Hundenamen, zeigen Handzeichen, auf die Hunde reagieren, und Handbewegungen, die sie nervös machen, und noch vieles mehr.

Jede Seite dieses Buches vermittelt faszinierende Einblicke in das Innenleben eines Hundes: was er sieht und was er hört, warum Gerüche so wichtig sind. Sie werden außerdem lernen, wie Sie diese Informationen nutzen können, um sich besser verständlich zu machen, denn darum geht es schließlich bei einer guten Beziehung zwischen Mensch und Tier.

Matthew Hoffman

Matthew Hoffman

ERSTER TEIL

WAS WILL IHR HUND IHNEN MITTEILEN?

Hunde haben viel mitzuteilen, doch drücken sie sich anders aus als wir. Hunde teilen sich Menschen und anderen Hunden durch Körpersprache und verschiedene Gesichtsausdrücke mit, außerdem durch Bellen, Winseln, Knurren und Heulen. Darüber hinaus verlassen sie sich auf ihren Geruchssinn und ihr Gehör, das weitaus empfindlicher ist als unseres.

KAPITEL EINS

VON MENSCH ZU HUND

Ein Hund ist ein wichtiges und viel geliebtes Mitglied der Familie. Sie werden mit ihm einen großen Teil Ihres Lebens verbringen, und auf lange Sicht profitieren sowohl der Hund als auch Sie selbst von einer besseren Verständigung zwischen Mensch und Tier.

Hunde haben ein fast unheimliches Gespür für die Gefühle der Menschen. Sie sind nicht nachtragend. Sie lieben uns trotz unserer Fehler und sind tagein, tagaus für uns da. Die Beziehung zu einem Hund kann eine Arbeitsstelle, Freundschaften und Ehen überdauern. Daher ist es nicht verwunderlich, dass die meisten Menschen mit ihren Hunden reden. Ein Hund kann tatsächlich unser bester Freund sein.

Hunde sind vollwertige Familienmitglieder. Auch wenn wir kein Wort Labradorianisch sprechen, kommunizieren wir trotzdem ständig mit unserem Labrador. Hunde spüren, in welcher Stimmung wir uns gerade befinden, und nehmen uns so, wie wir sind.

Nicht nur die menschlichen Familienmitglieder wissen diese enge Bindung zu schätzen. Außer den offensichtlichen Vorteilen – kostenloses Futter, bequeme Schlafplätze und regelmäßiges Bauchkraulen – ziehen Hunde eine große emotionale Befriedigung aus der Beziehung zu uns Menschen. Sie sind von Natur aus gesellig und betrachten Menschen als Teil ihres Rudels – das entsprechende Gegenstück zu einer glücklichen Familie. Herumzuliegen und unseren Gesprächen zuzuhören gehört einfach zum Leben in einem menschlichen Rudel dazu.

Als sie noch wild lebten, streunten Hunde in eng verbundenen Gemeinschaften, den Rudeln, umher. Für diesen Golden Retriever ist die Familie sein Rudel.

Schranken abbauen

Auch wenn unsere Beziehung zu Hunden so »menschliche« Züge wie gegenseitigen Respekt und Zuneigung aufweist, so besteht dennoch eine große Distanz zwischen uns. Wir gehören schließlich unterschiedlichen Spezies an und betrachten unsere Umwelt jeweils mit anderen

Augen. Ganz abgesehen davon, dass wir uns untereinander ganz anders verständigen. Manchmal teilen uns Hunde Dinge mit, die wir nicht verstehen. Und manchmal möchten wir ihnen etwas sagen, wissen jedoch nicht, wie wir es am besten ausdrücken. Das bedeutet nicht, dass wir mit unseren Hunden nicht reden können. Wir müssen uns nur ein wenig Mühe geben.

Wenn jemand Schwierigkeiten hat, sich mit einem Hund zu verständigen, liegt das meist daran, dass der Betreffende davon ausgeht, ein Hund sei genau wie er. Doch Hunde sind nicht wie Menschen. Deshalb haben manche, in unseren Augen viel sagende Worte und Gesten für sie keinerlei Bedeutung. In einigen Fällen signalisieren sie vom Standpunkt des Hundes aus sogar genau das Gegenteil von dem, was wir sagen wollen. Ein gutes Beispiel ist die Umarmung. Bei Menschen ist sie ein Sympathiebeweis. Hunde sehen das jedoch ganz anders. Aus ihrem Blickwinkel ähnelt eine menschliche Umarmung dem Versuch, den anderen zu unterwerfen, indem er seine »Pfoten« auf die Schultern des anderen stellt. Hunde betrachten eine Umarmung also als ein Zeichen von Konkurrenz und nicht als Sympathiebeweis.

Hunde neigen eher dazu, Gesten misszuverstehen als Worte, aber es gibt auch nicht sehr viele Wörter, die für sie Bedeutung haben. Der sprachlichen Kommunikation sind daher enge Grenzen gesetzt. Das hält jedoch niemanden davon ab, es damit zu versuchen. Die meisten Menschen reden ständig mit ihren Hunden – und die Hunde wirken stets interessiert, auch wenn die meisten Worte für sie nur diffuse Geräusche darstellen. Doch die einzelnen Wörter sind auch gar nicht so wichtig. Von ihrem

Namen und ein paar Kommandos abgesehen, reagieren Hunde zumeist auf Tonfall und Körpersprache. Einige Wörter verstehen Hunde jedoch; sie müssen nur einfach sein, normal ausgesprochen und sinnvoll eingesetzt werden. Eine lange Aneinanderreihung wie: »Sitz, sitz. Ich hab gesagt, sitz« hat für den Hund keine Bedeutung, da er nicht versteht, was damit gemeint ist.

Sie lernen vermutlich am besten, wie Sie sich deutlicher ausdrücken können, wenn Sie Ihrem Hund mehr Aufmerksamkeit widmen. Dabei sollten Sie nicht nur auf sein Bellen, sondern auch auf seine Körpersprache achten. Wir brau-

SCHON GEWUSST?

Warum sehen Hunde nicht fern?

Man sollte meinen, dass Filme wie »Lassie« oder »Ein Hund namens Beethoven« die Aufmerksamkeit eines Hundes erregen müssten, doch die meisten Hunde zeigen kein Interesse fürs Fernsehen, egal was läuft. Das liegt zum Teil daran, dass ihr Sehvermögen nicht besonders gut entwickelt ist. Sie reagieren bei einer Fernsehsendung eher auf die Geräusche als auf die Bilder, die sie nur verschwommen wahrnehmen. Doch möglicherweise werden Hunde bald sehr viel mehr Zeit vor dem Fernseher verbringen. Die großen Bildschirme und die Entwicklung von digitalen Signalen lassen Fernsehbilder sehr viel wirklichkeitsgetreuer erscheinen. Bei diesen Fernsehern ist die Bildauflösung enorm hoch, Bild und Ton sind so klar wie nie zuvor. Einige Verhaltensforscher sind daher der Ansicht, dass Hunde ihre Artgenossen auf solchen Fernsehschirmen dann möglicherweise für real halten werden.

SCHON GEWUSST?

Gibt es mehrsprachige Hunde?

Egal ob Deutsch, Italienisch oder Suaheli: Die meisten Hunde können jede Sprache der Welt verstehen, wenn auch nur, weil sie die dazugehörigen Körpersignale und den Tonfall richtig interpretieren.

Einige Sprachen eignen sich jedoch besser als andere, um die Aufmerksamkeit eines Hundes zu erregen. Im Deutschen klingt ein Befehl beispielsweise anders – und zwar wirkungsvoller – als im sehr viel melodischeren Französisch. Ein Hund, dem auf Deutsch etwas befohlen wird, hat vielleicht keine Ahnung, was das Wort bedeutet. Der Klang veranlasst ihn jedoch, die Körpersprache des Sprechers zu überprüfen, um zu erfahren, was von ihm erwartet wird.

Die Border-Collie-Hündin Molly beispielsweise reagiert auf deutsche, englische, spanische und französische Kommandos. Wenn ihr Besitzer sagt: »Bum, du bist tot« oder auf Französisch »Tu es morte«, rollt sie sich auf den Rücken, streckt die Pfoten in die Luft und »stirbt« melodramatisch.

Hunde verstehen außerdem ganz offensichtlich die Körpersprache der anderen Hunderassen, sind also auch in diesem Sinne sozusagen mehrsprachig.

Wenn ein Hund sich einem anderen mit aufgestellter Rute nähert, wird das normalerweise als Drohung gewertet. Dennoch weiß z. B. ein Deutscher Schäferhund intuitiv, dass ein Beagle immer mit aufgestellter Rute herumläuft. Er kann also zwischen den unterschiedlichen Bedeutungen durchaus unterscheiden.

chen viel Übung, um gute Zuhörer zu werden, denn oft genug meinen wir bereits im Voraus zu wissen, was unser Hund uns sagen möchte.

Mit den Augen eines Hundes

Hunde fühlen sich in einer menschlichen Familie vollkommen zu Hause. Dennoch sind Konflikte nahezu unvermeidlich, weil Hunde und Menschen nach unterschiedlichen Regeln leben und bestimmte Situationen unterschiedlich einschätzen. So freuen Sie sich z. B., wenn der Postbote kommt, wohingegen Ihr Hund ihn als Eindringling betrachtet. Ihr Hund liegt scheinbar faul vor der Haustür und rührt sich nicht vom Fleck, in Wahrheit will er es vielleicht gerade auf einen kleinen Machtkampf ankommen lassen. Sie kaufen Ihrem Hund einen teuren Hundekorb, und er klettert weiter auf den Sessel – wie sich herausstellt, nicht deshalb, weil er weicher, sondern weil er höher ist und der Hund sich dadurch mächtiger fühlt.

Mit Hunden zu reden bedeutet mehr, als Kommandos zu geben. Dazu muss man verstehen, warum Hunde bestimmte Dinge tun. Denken Sie immer daran, dass Hunde ursprünglich in fest gefügten, stark strukturierten Verbänden, den Rudeln, lebten. Fast alles, was Ihr Hund tut, ist von dem Wunsch geprägt, sich seinen Platz im »Familienrudel« zu erobern.

Das bedeutet jedoch nicht, dass jeder Hund der Boss sein möchte, im Gegenteil, die meisten wollen es gar nicht. Es trägt jedenfalls außerordentlich zu ihrem Wohlbefinden bei, wenn sie ihren Platz innerhalb der Familie kennen. Daher lässt sich die für uns so wichtige Maxime der Gleichheit bei Hunden nicht anwenden.

Wichtig ist nicht, was man sagt, sondern wie man es sagt. Wenn Sie Ihrem Hund sagen, er soll vom Sofa verschwinden, dann darf das nicht wie eine Bitte klingen. Wenn Sie Kommandos geben, sollten sie auch wie Kommandos klingen: klar und eindeutig. Dann versteht Ihr Hund auch, dass Sie es ernst meinen, und vor allem wird er daran erinnert, dass sein Rang innerhalb der Familie niedriger ist als Ihrer. Das wird er Ihnen nicht übel nehmen, er wird sich vielmehr entspannen können, weil er genau weiß, wo sein Platz ist.

Mit Ihrem Hund zu reden bedeutet nicht nur, ihm zu sagen, was er tun soll. Es geht auch darum, zu verstehen, was er in bestimmten Situationen empfindet. Die Körpersprache, die Gesichtsausdrücke und die Bewegungen eines Hundes lassen detaillierte Rückschlüsse auf seine Gedanken und Gefühle zu. Man kann eine Menge über einen Hund erfahren, indem man ihn einfach beobachtet. Dann werden Sie nicht nur merken, ob er gerade

Damit die Verständigung gelingt, reicht es nicht aus, sich klar auszudrücken. Sie müssen auch verstehen lernen, warum Hunde bestimmte Dinge tun.

glücklich oder traurig ist. Sie werden außerdem einschätzen können, ob er unruhig ist oder sich langweilt, wann er Aufmerksamkeit benötigt, und sogar, was er als Nächstes tun wird.

Hunde sind so vielschichtig wie Menschen und senden oft widersprüchliche Signale. Der wedelnde Schwanz signalisiert: »Spiel mit mir!«, während die Augen andeuten: »Ich bin ziemlich nervös.« Daher lässt sich nicht jede Regel auf alle Hunde anwenden. Doch wenn Ihnen erst die Angewohnheiten und die Mimik Ihres Hundes vertraut sind, werden Sie wissen, was er gerade empfindet, und meist auch verstehen, was er Ihnen sagen will. Sie werden ein ausgeprägtes Einfühlungsvermögen entwickeln, und das ist es, was eine Freundschaft bedeutet.

RASSENSPEZIFISCHES

Der Deutsche Schäferhund zählt zu den beliebtesten Gebrauchshunden, weil er sehr gelehrig ist. Das liegt weniger an seiner angeborenen Intelligenz als an seinem instinktiven Drang, seinem Besitzer zu gefallen. Mehr als Hunde anderer Rassen stellen sich Deutsche Schäferhunde auf die Menschen ein, mit denen sie zusammenleben. Sie lernen daher schnell, auf gesprochene Kommandos, Handzeichen, Mimik und Körpersprache zu reagieren.

KAPITEL ZWEI

VON HUND ZU HUND

Hunde sind Kommunikationsexperten und nutzen dazu nicht nur die Stimme,
sondern auch Körpersprache, Mimik und Geruch. Wenn Sie Hunde genau beobachten,
lernen Sie rasch, wie sie sich untereinander verständigen.

Hunde verschwenden nicht viel Zeit mit dem Kennenlernen. Bei ihrer ersten Begegnung haben sie innerhalb von Sekunden das Geschlecht, das Alter und den Status ihres Gegenübers bestimmt und sich darauf verständigt, wer von beiden ranghöher ist. Danach fangen sie entweder an zu spielen oder gehen wieder getrennte Wege. Falls sie sich nicht einig werden, wer von beiden der Überlegene ist, klären sie den Streit mit einer kurzen, aber selten ernsten Balgerei. Dass Hunde in so kurzer Zeit so viele Informationen sammeln können, ist nicht verwunderlich. Genau wie Menschen bedienen sich Hunde nicht allein der Stimme, um zu kommunizieren. Sie setzen dazu auch Körpersprache, Mimik und Geruch ein.

Was Hunde zu sagen haben

Hunde haben viel zu erzählen. Da sie Rudeltiere sind, verbringen sie viel Zeit damit, ihren Status zu bestimmen: Wer steht wo in der Hierarchie, und wer gibt die Befehle. Sie verständigen sich auch über die Grenzen und die Verteidigung ihrer Reviere und ihrer Besitztümer, wozu sie neben Futter und Spielzeug durchaus auch »ihre« Menschen zählen.

Auch wenn ihre Emotionen nicht so lange anhalten wie bei uns, empfinden Hunde ebenfalls Furcht, Aufregung, Glück, Stress, Unsicherheit und Verwirrung. Im Gegensatz zu Menschen haben Hunde keinen Grund, ihre Gefühle zu verstecken.

Diese beiden Hunde geben durch Körpersprache viele Informationen. Der Barkenspitz (links) zeigt Interesse, behält jedoch seine dominierende Rolle bei, indem er steif und hoch aufgerichtet dasteht. Die Pose des Springer Spaniels ist freundlich, aber unterwürfig.

KOMMUNIZIEREN LERNEN

In den ersten sieben bis acht Wochen lernen Welpen die Grundzüge der Kommunikation von ihrer Mutter. Wenn diese z. B. anfangen möchte, sie zu entwöhnen (etwa dann, wenn die Welpen ihre ersten scharfen Zähnchen bekommen), zieht sie drohend die Lefzen hoch, wenn sie sich ihren Zitzen nähern. Bleiben die Jungen hartnäckig, knurrt sie leise. Wenn das immer noch nicht hilft, knurrt sie richtig, um ihnen klarzumachen, dass sie es ernst meint.

Umgekehrt lässt sie ihre Jungen auch wissen, was erlaubt ist, indem sie ihr Tun ignoriert oder sie gewähren lässt. Wenn ein Welpe das Ohr eines anderen Welpen spielerisch packt und ihm nicht wehtut, lässt seine Mutter ihn wissen, dass er das darf, indem sie es nicht weiter beachtet.

Welpen lernen schnell, sich untereinander zu verständigen. Da für sie Spielen gleichbedeutend mit Beißen ist, lautet eine wichtige Botschaft: »He, das tut weh!« Wenn ein Welpe einen anderen zu heftig beißt, winselt das Opfer, um den Angreifer wissen zu lassen, dass er zu weit gegangen ist. Welpen lernen schnell, sich mit dem Beißen zurückzuhalten. Ein Tipp vom Hundeausbilder: »Jaulen Sie auf wie ein Welpe, um einen Hund davon abzuhalten, Sie zu beißen. Das ist wirkungsvoller als jeder verbale Befehl, weil Sie seine Sprache sprechen.«

Körpersprache

Im Leben eines Hundes ist das wichtigste Mittel, um sich mit Artgenossen zu verständigen, die Körpersprache. Er setzt Augen, Rute, Ohren und seine allgemeine Körperhaltung ein, um

SCHON GEWUSST?

Warum ist Bellen ansteckend?

Wenn Sie in einer Gegend mit mehreren Hunden wohnen, werden Sie sicher schon einmal gehört haben, wie durch das Gebell eines Hundes andere ebenfalls zum Bellen angeregt wurden. Ein Hund fängt an zu bellen, und alle anderen stimmen ein. Manchmal bellen sie alle aus demselben Grund, weil z. B. jemand auf dem Fahrrad vorbeifährt. Manchmal ist es aber auch nicht ersichtlich, aus welchem Grund der erste Hund anfing zu bellen.

Die Verhaltensforschung geht davon aus, dass ein derartiges Gruppenverhalten der Versuch von Individuen ist, sich größer zu machen, als sie tatsächlich sind – in diesem Fall hören sie sich größer an.

Einige Hunde stimmen jedoch weniger häufig als andere in derartige Bellkonzerte ein. Große Arbeitshunde wie der Kuvasz oder andere Hütehunde hören meist als Erste wieder auf zu bellen, weil sie gezüchtet wurden, um bei ihren Schützlingen zu leben. Sie wissen, dass sie die Herde in Aufregung versetzen, wenn sie zu viel Lärm machen. Spürhunde wie der Basset oder der Bloodhound dagegen bellen gern, genau wie Terrier, deren Aufgabe seit jeher darin bestand, ihren Besitzern durch Bellen mitzuteilen, dass sie Wild entdeckt hatten.

andere Hunde wissen zu lassen, was er denkt. Wenn zwei Hunde sich begegnen, bestimmen sie als Erstes ihre Rangordnung. Ein Hund, der ausdrücken möchte: »Ich bin furchtlos, was willst du dagegen machen?«, stellt Kopf, Schwanz und Ohren auf und sträubt seine Rückenhaare, anschließend fixiert er sein

Diese Rhodesischen Löwenhunde haben bei ihrem Kampfspiel viel Spaß. Der rangniedere Hund unterwirft sich, indem er sich auf den Rücken rollt.

Gegenüber. Wenn der andere klein beigeben möchte, klemmt er den Schwanz ein, legt die Ohren an und kauert sich hin oder leckt sich das Maul. Fordert ein Hund einen anderen zum Spiel auf, ist das unmissverständlich: Er hechelt und »grinst« fröhlich und wedelt kräftig mit dem Schwanz. Vielleicht legt er auch spielerisch den Kopf auf die Vorderpfoten, um sich dann wieder aufzurichten und so zu tun, als wolle er weglaufen – er tut alles, um seinen Freund zu einem Fang- oder Kampfspiel zu animieren.

Wenn sie miteinander gespielt haben und ein Hund dann beschließt, dass er genug hat, fängt er an, seinen Spielkameraden zu ignorieren. Funktioniert das nicht, zieht er eine Lefze nach oben, knurrt oder schnappt sogar nach dem anderen Hund, um ihn zu vertreiben. Hunde sind jedoch nicht lange böse aufeinander, und einer der beiden versucht meist, wieder eine freundliche Atmosphäre herzustellen. Das tut er,

indem er viele jener Gesten einsetzt, die er als Welpe benutzt hat, um Aufmerksamkeit und Fürsorge zu bekommen: Er leckt das Maul des anderen, rollt sich auf den Rücken und entblößt seinen Bauch oder legt die Ohren an, kauert sich hin und blinzelt.

Kampfspiele

Kampfspiele machen Hunden nicht nur Spaß, sie dienen auch dazu, die Rangordnung festzulegen. Sie geben zudem einem rangniederen Hund – wenn auch nur kurz – die Möglichkeit, einen anderen Hund herauszufordern, dessen Position er niemals ernsthaft beanspruchen würde. Manchmal inszenieren Hunde einen Schaukampf, bei dem kein Blut fließt, sondern nur heftig gebalgt wird. Man kann beobachten, wie ein Hund seinen Kopf auf den Rücken des anderen legt und seine Dominanz bekundet. Der rangniedere Hund wird sich am Schluss auf den Rücken rollen und damit signalisieren, dass er aufgibt. Das klassische Zeichen für Unterwerfung ist das Entblößen des Bauchs. Schon als Welpe lernt ein Hund, dass ihm nichts mehr passieren kann, wenn er sich auf den Rücken rollt und den anderen gewinnen lässt. Einem Hund, der aufgegeben hat, wird kein anderer Hund mehr wehtun.

Die meisten Kampfspiele haben, selbst wenn sie freundlich gemeint sind, ihren Ursprung im Zeigen von Dominanz. Einige Rassen nehmen das ernster als andere. Labradore spielen nur zu gern ruppig miteinander, doch sobald z. B. ein Husky (oder Eskimohund) dazukommt, wird unter Umständen ein echter Kampf daraus.

Das ABC der Körpersprache

Ein Hund wie dieser Viszla oder Vorstehhund erfährt allein dadurch sehr viel über einen anderen Hund, indem er ihn einfach nur anschaut und seine Bewegungen registriert.

Augen

Direkter Blickkontakt: Kühnheit und Selbstvertrauen

Beiläufiger Blickkontakt: Zufriedenheit

Abgewandter Blick: Unterwerfung

Verengte Pupillen: Furcht

Ohren

Entspannte Ohren: Der Hund ist ruhig

Aufrecht gestellte Ohren: Der Hund ist wachsam und aufmerksam

Aufrecht und nach vorn gestellte Ohren: Der Hund ist angriffsbereit

Zurück- oder angelegte Ohren: Der Hund ist unsicher oder verängstigt

Körperbewegungen

Scharren ist eine beruhigende Geste

Leckt ein Hund die Schnauze eines anderen Hundes: Aufforderung zum Spiel oder Unterwerfung

Die Spielverbeugung (geduckter Vorderkörper, gestreckte Hinterläufe und wedelnder Schwanz) fordert zum Spielen auf und zeigt Zufriedenheit

Den Kopf auf die Schulter eines anderen Hundes legen: Zeichen von Kühnheit

Bleibt ein Hund starr stehen, hat er Angst

Reibt sich ein Hund an einem Artgenossen oder lehnt sich an ihn: freundliche Geste

Fang und Lippen

Hechelt ein Hund, ist er zum Spielen aufgelegt oder aufgeregt; vielleicht ist ihm aber auch nur heiß

Ein Hund, der Fang und Lippen geschlossen hat, ist unsicher oder will beschwichtigen

Leckt sich ein Hund die Lippen, hat er Angst oder will beschwichtigen

Mit nach hinten gezogenen Lippen fordert ein Hund einen anderen heraus oder warnt ihn

Fell (Nackenhaare und Haare an der Schwanzwurzel)

Gesträubtes Fell: Zeichen für große Erregung (aus Angst oder aufgrund von Aggression)

Glattes Fell: Der Hund ist ruhig

Schwanz (oder Rute)

Entspannter Schwanz: Der Hund ist ruhig und fühlt sich wohl

Waagerecht gehaltener Schwanz, der rhythmisch und langsam wedelt: Der Hund ist vorsichtig oder wachsam

Herunterhängender Schwanz: Der Hund ist ängstlich oder unsicher

Aufgestellter Schwanz, der heftig wedelt: Der Hund ist aufgeregt

Aufgestellter Schwanz: Der Hund ist wachsam

Zwischen den Beinen eingezogener Schwanz: Der Hund hat Angst

Kommunikation mittels Geruch

Für Hunde besteht ein großer Bereich der Kommunikation aus der Wahrnehmung von Gerüchen. Hunde können Gerüche identifizieren, von denen Menschen nicht einmal wissen, dass es sie gibt, weil die Geruchszellen einer Hundenase millionenfach empfindlicher sind.

Auch wenn wir vielleicht angesichts der typischen Begrüßung unter Hunden – des Beschnupperns des Hinterteils – die Nase rümpfen: Für sie funktioniert es sehr gut. Die Drüsen unter dem Schwanz sondern Sekrete ab, die sich von Hund zu Hund unterscheiden. Mit einem Schnüffeln erfahren Hunde fast alles voneinander: Alter, Geschlecht, Rang und Gesundheitszustand, und auch, ob das Tier kastriert bzw. sterilisiert ist.

Hunde sammeln und verteilen überall Duftbotschaften. Der Geruch von normalem Urin unterscheidet sich von dem des Urins, der zum Markieren verwendet wird. Mit dem Setzen von Duftmarken stecken Hunde ihr Territorium ab. Rüden neigen sehr viel stärker zu diesem Verhalten als Hündinnen.

Hunde können anhand der Duftmarke sogar den Rang des Artgenossen feststellen. Ein Beispiel: Ein dominanter Rüde markiert einen Baum. Später schnüffelt ein eher unterwürfiger Hund an dieser Stelle und zieht sich sofort zurück – er reagiert bereits auf den Geruch des Urins mit freiwilliger Unterwerfung. Manche Zuchthunde markieren bei Hundeausstellungen das Bein ihrer Besitzer. Das tun sie, weil sie angesichts der großen Konkurrenz ihr Revier markieren wollen – und in diesem Fall ist das ihr Besitzer.

Das Setzen von Duftmarken ist für Hunde wie diesen Labrador eines der wichtigsten Kommunikationsmittel. Deshalb wird selbst bei einem kurzen Spaziergang vielleicht ein Dutzend Mal das Bein gehoben.

Bei einem Spaziergang können Sie beobachten, dass Ihr Hund an denselben Stellen schnüffelt, an denen er auch uriniert. Er riecht wahrscheinlich einen anderen Hund, denkt »Das ist mein Baum, nicht deiner« und markiert dann den Baum neu. Nicht nur der Urin hinterlässt für Hunde interessante Duftmarken, sondern auch der Kot. Diese Begegnung reicht fast an ein persönliches Treffen mit dem Hund selbst heran. Denn wenn sich zwei Hunde begegnen, widmen sie zunächst dem Hinterteil des anderen die größte Aufmerksamkeit.

Wenn Ihr Hund sich während eines Spaziergangs oder im Garten erleichtert, wird er vermutlich danach auf dem Boden scharren oder sogar den Kot herumstupsen. Dadurch möchte er ebenfalls sein Revier abstecken und seinen Geruch so weit wie möglich verbreiten.

Die Hundestimme

Für einen Hund ist das Bellen weniger wichtig als andere Ausdrucksformen wie z. B. Körpersprache oder Geruch. Trotzdem hat natürlich auch das Bellen, Winseln, Heulen und Knurren eine Bedeutung. Wie Ihr Hund gerade »redet«, hängt davon ab, in welcher Stimmung er ist und was er möchte. Um das herauszufinden, müssen Sie auch den Kontext beachten.

Bellen

Das Bellen ist ein hervorragendes Mittel, um die Aufmerksamkeit eines Menschen oder eines Hundes zu erregen. Mit seinem Gebell signalisiert ein Hund, dass man jetzt sein Territorium betritt; es hilft ihm außerdem, Stress abzubauen. Unterschiedliches Bellen hat auch unterschiedliche Bedeutung.

• Länger andauerndes, hohes Gebell: Ihr Hund hat Angst oder ist einsam und benötigt Aufmerksamkeit.

• Kurzes, normales Gebell: Er ist neugierig und aufmerksam und stellt Kontakt her.

• Schnelles, wiederholtes hohes Gebell: Ihr Hund ist zum Spielen aufgelegt oder hat etwas entdeckt, was er verfolgen möchte.

• Tiefes, wiederholtes Gebell: Ihr Hund ist defensiv eingestellt oder möchte Sie beschützen.

Knurren

Knurren stellt eine Warnung dar. Beim Spielen ist das Knurren kein Zeichen von Aggressivität.

• Knurren und eine dominierende Haltung: Ihr Hund ist aggressiv.

• Knurren und eine unterwürfige Haltung: Er hat Angst oder fühlt sich unterlegen.

Heulen

Mit seinem Geheul stellt ein Hund die Verbindung zu anderen Hunden her, selbst wenn diese kilometerweit entfernt sind.

• Melodisches Geheul: Es soll den Kontakt zu anderen Hunden herstellen und bedeutet, dass Ihr Hund neugierig oder glücklich ist.

• Wehmütiges, trauriges Geheul: Schmerz.

Winseln oder Wimmern

Winseln und Wimmern gehen zurück auf das Welpenalter, denn damit verschafft ein Welpe sich Aufmerksamkeit.

• Wenn Ihr Hund aufgeregt oder einsam ist, winselt oder wimmert er, um Ihre Aufmerksamkeit zu erregen. Es kann sich anhören wie Gähnen.

• Wenn Ihr Hund unter Stress steht, Angst hat oder sich Sorgen macht, gibt er wiederholt quietschende Winsellaute von sich – vielleicht im Wechsel mit schrillem Kläffen.

RASSENSPEZIFISCHES

Manche Hunde fordern ihre Artgenossen unwillkürlich heraus, weil ihre Ohren und Ruten von Natur aus eine »aggressive« Stellung haben. Rassen mit Stehohren und aufgestellter Rute wie Akitas, Basenjis oder Alaskan Malamutes erregen bei dominierenden Hunden Aufmerksamkeit, weil sie aussehen, als seien sie zum Kampf bereit, selbst wenn dies gar nicht der Fall ist. Welpen, denen gerade die Ohren kupiert wurden, können gegen ihren Willen andere Hunde in Alarmbereitschaft versetzen.

KAPITEL DREI

Von Hund zu Mensch

Wenn Hunde Menschen etwas mitteilen möchten, dann bellen sie nicht nur. Sie setzen sehr viel Körpersprache ein, um ihre Gedanken und Wünsche zum Ausdruck zu bringen.

Ein Hund wirft einen sehnsüchtigen Blick auf seine Leine und läuft vor der Tür auf und ab. Diese Mitteilung ist eindeutig: »He, ich will raus.« Ein anderer Hund steht stocksteif da, hat die Ohren aufgestellt und wedelt langsam mit dem Schwanz. Seine Körpersprache und sein tiefes, kehliges Knurren signalisieren: »Mir gefällt diese Situation nicht, nimm dich in Acht.«

Ein anderer Hund führt immer, wenn sein Herrchen nach Hause kommt, einen richtigen Tanz auf, bellt und hinterlässt einen See auf dem Fußboden. Damit will er sagen: »Du bist meine Nummer eins, und ich pinkle auf den Boden, um dir zu zeigen, dass du hier das Sagen hast.«

Und dann gibt es noch Hunde wie Johnny, einen freundlichen schwarzen Labrador. Er liebt es, am Bauch gekrault zu werden, und das fordert er ein, indem er sich vor seinen Besitzern theatralisch fallen lässt, auf den Rücken rollt, seinen Bauch entblößt und wie wild mit dem Schwanz wedelt. »Wenn wir in Eile sind und keine Zeit haben, ihn am Bauch zu kraulen, lässt er den Kopf hängen und schmollt. Er macht uns damit eindeutig klar, dass wir ihn enttäuscht haben«, erzählt sein Frauchen.

Jeder dieser Hunde teilt etwas anderes mit, doch sie haben eines gemeinsam: ein umfangreiches Vokabular aus Körpersprache, Blick-

Einige Botschaften wie die Bitte dieses Terriermischlings sind eindeutig: »Lass mich rein!« Andere sind schwieriger zu deuten.

kontakt, Verhaltensweisen, Bellen und einer Reihe von anderen Geräuschen. Hunde sind nicht darauf angewiesen, mit Worten sprechen zu können, weil sie genau wissen, wie sie auch ohne sie Aufmerksamkeit erregen können. Was kümmern einen Hund Worte, wenn ein munteres Bellen, ein Wedeln mit dem Schwanz, ein schief gestellter Kopf, eine hoch erhobene Pfote oder ein gefühlvoller Blick genauso viel sagend sind?

Signale, die Sie kennen sollten

Zwischen den verschiedenen Rassen und sogar zwischen einzelnen Hunden gibt es zwar kleine Unterschiede, doch grundsätzlich kommunizieren alle Hunde auf die gleiche Weise. In der Regel erkennen Menschen, was ihre Hunde fühlen, indem sie ihre Haltung oder ihre Bewegungen beobachten oder ihnen in die Augen schauen. Doch einige Signale sind nicht so eindeutig. Hunde kommunizieren mit Menschen (und mit anderen Hunden) folgendermaßen:

Bellen: Hunde bellen aus vielen Gründen. Es kann bedeuten, dass sie sich amüsieren, aber auch, dass sie Angst haben oder einsam sind. Vielleicht wollen sie Aufmerksamkeit, vielleicht hören sie aber auch ein fremdes Geräusch und wollen ihre Besitzer darauf hinweisen. Der Klang des Bellens ist je nach Absicht unterschiedlich. Ein Hund, der in Panik ist oder Angst hat, bellt so, dass wir am Klang und am Rhythmus seine Notlage erkennen. Er will uns mit dem Bellen zu Hilfe holen.

Die meisten Hunde bellen, weil sie etwas mitteilen wollen, andere bellen nur zum Spaß oder aus Gewohnheit oder weil ihnen langweilig ist. Solch ein Gebell kann den ganzen Tag andauern, und in diesem Fall wird Ihr Hund für die Nachbarn rasch zur Nervensäge.

Zerkauen von Gegenständen: An etwas zu kauen ist für Hunde ganz natürlich und macht ihnen Spaß. Mit Ausnahme von Welpen, die es noch nicht besser wissen, lernen Hunde rasch, was sie zerkauen dürfen und was nicht. Es ist also kein Versehen, wenn ein ausgewachsener Hund Schuhe oder eine Zeitung zerkaut. Hunde, die Gegenstände zerkauen, sind häufig entweder ängstlich oder langweilen sich. Es kann aber auch bedeuten, dass sie viel Energie haben und sich nicht genug austoben können.

Anlehnen: Hunde respektieren den »persönlichen Freiraum« weitaus seltener als Men-

schen. Es ist daher ganz normal, dass Hunde sich gegen die Beine eines Menschen lehnen. Gewöhnlich reagieren wir darauf, indem wir sie am Kopf kraulen – eine Reaktion, die sie vermutlich gar nicht beabsichtigt hatten.

Hunde, die sich einfach nur anlehnen und nicht wie eine Katze den Kopf an Ihren Beinen reiben, versuchen möglicherweise, ihr eigenes Territorium auszuweiten, indem sie Ihres beanspruchen. Übertragen auf menschliches Verhalten würde das bedeuten: Hier lehnt sich jemand herausfordernd nach vorn und verkündet: »Ich bin stark und kann tun und lassen, was ich will.« Andere Hunde lehnen sich an, weil sie damit ihre Zuneigung und ihren Besitzanspruch zum Ausdruck bringen wollen, so wie manche Menschen Arm in Arm die Straße entlanggehen. Möglicherweise wollen sie auch verhindern, dass ihr Besitzer sie allein lässt.

Zu guter Letzt besteht natürlich auch die Möglichkeit, dass Ihr Hund nur einen Juckreiz

Dieser Boxer lehnt sich gegen die Beine seines Herrchens, um seine Zuneigung und seinen Besitzanspruch zum Ausdruck zu bringen.

Dieser junge Labrador leckt das Gesicht seines Frauchens in einer Geste der Unterwerfung und Zuneigung.

verspürt und sich an Ihren Beinen reibt, um sich an einer für ihn unerreichbaren Stelle zu kratzen.

Beinklammern: Fast alle Hunde zeigen irgendwann einmal ein übergroßes Interesse an den Beinen eines Menschen – eine lästige Angewohnheit, die fast nur bei Rüden vorkommt. Die meisten Hunde legen sie wieder ab oder unterlassen es nach der Kastration. Manche Hunde tun es jedoch ständig. In diesen Fällen hat es nichts mit sexuellem Verlangen zu tun – es geht um Macht. Indem sich der Hund an ein Menschenbein klammert, bringt er zum Ausdruck: »Ich stehe auf einer höheren Sprosse der Leiter als du.«

Lecken: Früher glaubten die meisten Experten, dass Hunde deshalb das Gesicht von Menschen ablecken, weil sie es gewohnt waren, das Gesicht ihrer Mutter abzulecken, um etwas zu essen zu bekommen. Heutzutage wird das Lecken eher als eine Geste der Ehrerbietung betrachtet. Ein Hund, der Ihr Gesicht leckt, bestätigt seinen rangniederen Status und bringt damit seine Zuneigung und seinen Respekt zum Ausdruck.

Humpeln: Es passiert tatsächlich hin und wieder, dass ein Hund sich ein Bein verstaucht, doch weitaus häufiger hat theatralisches Humpeln eine andere Bedeutung: Viele Hunde setzen dieses klassische »Beachte mich«-Signal ein, das sogar Experten irreführen kann. Es soll schon vorgekommen sein, dass selbst erfahrene Tierärzte Simulanten, die Mitleid erregend auf drei Beinen humpelten, mit nach Hause nahmen, wo die Patienten plötzlich auf allen vieren durchs Zimmer rannten und aufs Bett sprangen.

Hand mit dem Fang umschließen: Hunde, die mit ihrem Fang Ihre Hand umschließen, ohne dabei ihre Zähne einzusetzen, wollen Sie freundlich begrüßen. Vor allem beim Labrador und anderen Apportierhunden, die so erzogen werden, dass sie das Wild vorsichtig zurückbringen, kommt das häufig vor. Allerdings sind solche Begegnungen nicht immer sanft. Wenn Hunde miteinander spielen, umklammert einer von ihnen oft den Fang des anderen mit seinem eigenen. Hunde, die bei Menschen, wenn auch auf kontrollierte Weise, ihre Zähne einsetzen, verhalten sich damit sehr aggressiv, und nicht selten folgen diesem »Spiel« weitere Formen von Aggression.

Schnauzenstoß: Hunde stupsen Menschen nur zu gern mit ihrer Schnauze. Meistens wollen sie damit nur ein paar Streicheleinheiten hervorlocken. Oder aber sie sind der Ansicht, dass Sie gerade auf ihrem Lieblingsplatz sitzen, und wollen Sie verscheuchen, um ihn für sich zu beanspruchen.

Lächeln: Chesapeake-Bay-Retriever ziehen ihre Lefzen hoch, wenn sie glücklich sind. Alaskan Malamutes und Samojeden sind ebenfalls bekannt für ihren lächelnden Gesichtsausdruck. Bei den meisten Hunden ist ein Lächeln jedoch nicht mit dem eines Menschen zu vergleichen. Sie neigen zu einer Art Grinsen, wenn sie sich bedroht fühlen oder aggressiv sind und den Menschen Zähne zeigen wollen.

Mit der Zunge »schnalzen«: Wenn Hunde ständig mit der Zunge schmatzen und ihr Maul ablecken, ist das fast immer ein Zeichen von Unsicherheit. Sie tun dies häufig, wenn sie eine ungewohnte Situation bewerten oder wenn sie überlegen, ob sie sich einem Fremden nähern sollen. Außerdem tun sie es manchmal, wenn sie sich besonders konzentrieren müssen, wie z. B. bei einer Übungsstunde.

Gähnen: Menschen gähnen normalerweise, wenn sie müde sind oder sich langweilen, doch bei Hunden ist Gähnen meist ein Zeichen für Nervosität. Ein ausgiebiges Gähnen senkt bei Hunden kurz den Blutdruck und hilft ihnen, Ruhe zu bewahren. Man kann zusehen, wie die Anspannung aus ihrem Körper weicht, nachdem sie ein paarmal herzhaft gegähnt haben. Als Hundehalter kann man dieses Phänomen in Stresssituationen, z. B. beim Tierarzt, gut beobachten.

Übersetzungsfehler

Mensch und Hund sprechen nicht die gleiche Sprache. Es ist daher nicht verwunderlich, dass viele Botschaften falsch interpretiert werden. Manchmal verstehen wir nicht, was unser Hund uns mitteilen möchte. Und manchmal merken wir noch nicht einmal, dass das, was wir sehen oder hören, überhaupt eine Botschaft darstellt.

Angenommen, Ihr Hund hat angefangen, im Garten Löcher zu buddeln, und Sie können ihn durch nichts davon abbringen. Dann haben Sie es wahrscheinlich mit einem Problem zu tun, das weit über »normale« schlechte Manieren hinausgeht. Vermutlich will Ihr Hund Ihnen damit sagen, dass ihn der normale Tagesablauf langweilt und ihm die geistige Anregung fehlt. Deshalb versucht er, Unruhe zu stiften. Wenn Sie wissen, warum Ihr Hund etwas tut, halten Sie den Schlüssel für Veränderungen bereits in der Hand – und wenn er sich gut benimmt, können Sie ihn durch Lob weiter in seinem Verhalten bestärken.

Wenn Hunde ein wenig aufgeregt sind, gähnen sie oft, um sich wieder zu beruhigen.

Überraschung!

Es war Ende November, und ein Schneesturm war im Anzug – kein idealer Zeitpunkt, um Junge zur Welt zu bringen. Doch Hunde können den Naturgesetzen ebenso wenig entgehen wie Menschen, und deshalb verschwand die Pyrenäenhündin Seminola zu genau diesem Zeitpunkt von ihrer Farm in Oklahoma.

Drei Tage lang suchte Besitzerin Betsy nach ihrer Hündin. Es wurde kälter, der Wind frischte auf, und der Regen verwandelte sich allmählich in Schnee. »Ich habe ständig an sie gedacht und sie in Gedanken angefleht, sie solle mich holen kommen«, berichtet Betsy. Vielleicht war es Zufall, doch die Gedankenübertragung funktionierte. Um acht Uhr abends tauchte eine erschöpfte, aber beharrliche Seminola auf – jedoch ohne Welpen. Sie bellte und scharrte und tat alles, um Betsys Aufmerksamkeit zu erregen. »Sie schien wütend zu sein, dass ich so lange brauchte, um die Taschenlampe zu finden. Obwohl sie offensichtlich Hunger und Durst hatte, verweigerte sie Essen und Wasser. Sie wollte schnell wieder los.«

Sie liefen in den nahe gelegenen Wald, die Hündin auf Betsys Fersen, manchmal gab sie ihr dabei einen Stups, um sie in die richtige Richtung zu lenken. Nach ein paar hundert Metern führte Seminola Betsy in ein Dickicht zu ihrem Wurf von neun niedlichen Welpen.

Hunde sind gesellige Tiere, und für sie ist es nur natürlich, dass sie lieber mit ihren Besitzern zusammen sind als allein zu sein. Mit vielen Signalen, die ein Hund gibt, vom Schwanzwedeln bis zum Knabbern an Tischbeinen, will er einfach Aufmerksamkeit erregen. Ein Hund, der sich die Brieftasche seines Besitzers schnappt und durchs Haus rennt, tut das, weil er weiß, dass sein Herrchen dann hinter ihm herläuft. Wenn das geschieht, hat er sein ursprüngliches Ziel, nämlich einen Spielkameraden zu gewinnen, erreicht.

Jeder Hund spielt mal verrückt oder tobt sich aus, ohne dass dies gleich komplizierte psychologische Ursachen hat. Die Botschaften, die sie vermitteln wollen, sind meist simpel: »Ich bin einsam« oder »Ich bin eifersüchtig« oder »Mir ist langweilig«. Hunde benehmen sich nicht daneben, weil sie sich rächen oder Ärger machen wollen. Sie benehmen sich auch nicht absichtlich schlecht, um Ihnen zu sagen, was sie stört. Ihr Verhalten drückt lediglich das aus, was ihnen gerade durch den Kopf geht.

Wenn Sie die Hundesprache übersetzen wollen, tun Sie gut daran, die Rasse Ihres Hundes mit zu berücksichtigen. Die angeborenen Verhaltensmerkmale sollte man nicht außer Acht lassen, weil sie sich früher oder später bemerkbar machen.

So wurden Terrier z. B. so gezüchtet, dass sie unter der Erde lebende Nagetiere ausbuddeln und töten. Daher ist es nur natürlich, dass sie im Garten ständig buddeln wollen. Dieser Instinkt muss einem nicht gefallen – ebenso wenig wie der Instinkt eines Labradors, ständig an etwas zu kauen –, doch man kann daran arbeiten. Manche Leute überlassen ihren Hunden im Garten ein bestimmtes Fleckchen, wo sie buddeln dürfen, und fast jeder Hundehalter gibt seinem Hund einen Gegenstand, an dem er kauen darf. Wenn man weiß, was ein Hund braucht, kann man es ihm geben, bevor er darum bitten muss.

KAPITEL VIER

KANN IHR HUND GEDANKEN LESEN?

Manche Hunde scheinen außergewöhnliche Fähigkeiten zu besitzen. Sie finden aus weiter Entfernung den Heimweg und können selbst Erdbeben vorausahnen. Manche Menschen sind überzeugt, dass sie auch Gedanken lesen können.

Ein paar Minuten bevor Herrchen oder Frauchen mit dem Auto in die Einfahrt fährt, erwachen Hunde aus einem Nickerchen und laufen zur Tür, noch bevor sie das Geräusch des Motors oder der Reifen auf der Straße hören können. Hunde, die normalerweise gern Auto fahren, laufen plötzlich weg, wenn die alljährliche Impfung beim Tierarzt ansteht. Einige Hunde ahnen einen epileptischen Anfall ihres Besitzers voraus, andere erkennen Hautkrebs im

Frühstadium – in manchen Fällen mit nahezu hundertprozentiger Sicherheit. Die meisten Menschen finden diese Formen vermeintlich übersinnlicher Wahrnehmung sehr verwunderlich, doch für Hunde ist das nichts Besonderes.

Selbst erfahrene Hundekenner können sich nicht erklären, warum Hunde aus weiter Entfernung wieder nach Hause finden oder heilende Kräfte entwickeln, wenn wir krank sind oder sie brauchen. Vielleicht können sie tatsächlich Gedanken lesen oder einen Blick in unser Herz werfen.

Das zweite Gesicht

Seit Jahrhunderten machen sich Menschen über den offenbar existierenden siebten Sinn von Hunden Gedanken. Die meisten Experten betrachten Geschichten von Hunden, die angeblich bestimmte Ereignisse voraussehen können, mit Skepsis und halten alles für Zufall oder gar

Niemand weiß, wie sie es schaffen, doch einige Hunde finden aus einer Entfernung von mehreren hundert Kilometern wieder nach Hause zurück.

Betrug. Doch Rupert Sheldrake, ehemaliger Professor für Biochemie in Cambridge und Autor des Buches *Sieben Experimente, die die Welt verändern könnten,* ist sich da nicht so sicher und beschreibt das Experiment eines australischen Fernsehteams. Einem Mischlingshund namens Jacko wurde die Fähigkeit nachgesagt, genau voraussehen zu können, wann sein Frauchen nach Hause kam. Das Team beschloss, das zu überprüfen, und konzipierte ein Experiment, bei dem Jacko und seine Besitzerin gleichzeitig gefilmt wurden und auf einem geteilten Monitor zeitgleich zu sehen waren. Das Experiment machte deutlich, dass Jacko immer dann zur Terrassentür lief, um seine Besitzerin zu erwarten, wenn diese sich am anderen Ende der Stadt auf den Weg zum Auto machte, um nach Hause zu fahren. Auch kehrte sie zu ganz unterschiedlichen Zeiten nach Hause zurück, und dennoch stimmte das Timing des Hundes in 85 Prozent der Fälle.

Sheldrake hat mittlerweile Daten von über 2000 solcher Geschichten gesammelt und ausgewertet. Dabei spielten weder bestimmte Rassen noch ausgeprägte Intelligenz eine Rolle. Rupert Sheldrake erklärt diese telepathischen Fähigkeiten bei Hunden mit der besonders intensiven Bindung zwischen Hund und Besitzer.

Im Reich der Sinne

Niemand kann mit Sicherheit sagen, ob Hunde die Zukunft vorhersehen oder die Gedanken ihrer Besitzer lesen können. Doch Experten sind sich einig, dass Hunde und viele andere Tiere Sinne besitzen, die über unser Vorstellungsvermögen hinausgehen. Das erklärt vielleicht ihre

SCHON GEWUSST?

Hunde als Seismographen?

Wissenschaftler sind sich nicht sicher, wie sie es anstellen, doch einige Hunde scheinen Erdbeben lange vor dem ersten Erdstoß vorauszuahnen. In Japan und China sind neben den komplizierten technischen Messinstrumenten Hunde (und andere Tiere) ein wichtiger Bestandteil des landesweiten Frühwarnsystems. Experten haben festgestellt, dass Hunde bereits Stunden oder sogar Tage vor einem Erdbeben anfangen, rastlos hin und her zu laufen. Sie bellen scheinbar grundlos und laufen manchmal sogar aus dem betreffenden Gebiet davon.

1975 alarmierte das ungewöhnliche Verhalten der Tiere die Stadtväter im chinesischen Haicheng derart, dass sie 90 000 Menschen aus der Stadt evakuierten. Ein paar Stunden später folgte ein schweres Erdbeben der Stärke 7,3 auf der Richterskala, das 90 Prozent der Gebäude zerstörte. Ohne die Vorwarnung durch die Hunde wäre das Ausmaß der Tragödie noch größer gewesen.

Forscher auf der ganzen Welt haben untersucht, warum Hunde Erdbeben vorauszuahnen scheinen. Sie vermuten, dass Hunde Geräusche im Hochfrequenzbereich hören können, die aus dem Erdinneren an ihr Ohr dringen – Geräusche, die für das menschliche Ohr zu hoch sind. Es ist auch möglich, dass Hunde elektrostatische Aufladungen in der Atmosphäre oder Vibrationen der Erdoberfläche wahrnehmen. Das Gehör und der Geruchssinn beim Hund sind sehr viel feiner als beim Menschen. Sie nehmen Dinge wahr, von denen wir nicht einmal eine Ahnung haben.

erstaunliche Fähigkeit, große Entfernungen zurückzulegen, für die wir Kompass oder Karte benötigen würden. Brieftauben z. B. orientieren sich an den Sternen und den elektromagnetischen Feldern der Erde; Scharen von Monarchfaltern verbringen den Winter in Mexiko und fliegen dann zurück in die Rocky Mountains von Colorado. Und es gibt viele beglaubigte Geschichten von Hunden, die sich wieder auf den Weg nach Hause machten, nachdem sie zuvor mit ihren Besitzern in eine Hunderte von Kilometern entfernte Stadt gezogen waren.

Auch wenn die Geschichte von Jacko darauf hindeutet, dass Hunde in der Lage sind, selbst über große Entfernungen hinweg mit ihren Besitzern zu kommunizieren, nimmt die Forschung an, dass dies weniger mit Telepathie zu tun hat als vielmehr mit der unglaublich ausgeprägten Sinneswahrnehmung der Tiere.

Ein gutes Beispiel sind Hunde, die bei Epilepsie-Patienten eingesetzt werden. Sie erfüllen zunehmend die Funktion eines »Frühwarnsystems«, da sie die erstaunliche Fähigkeit besitzen, ihre Besitzer bis zu einer Stunde vor dem nächsten Anfall zu warnen, sodass diese Vorsichtsmaßnahmen ergreifen können.

Für diese Fähigkeit, Anfälle vorauszuahnen, gibt es eine plausible Erklärung: Möglicherweise nehmen Hunde nämlich aufgrund ihres sehr feinen Geruchssinns die chemischen Veränderungen im Gehirn wahr, die einem solchen Anfall vorausgehen. Tatsächlich beruhen viele telepathische Geschichten bei Hunden nicht nur auf ihren außerordentlich entwickelten Sinneswahrnehmungen, sondern mindestens ebenso sehr auf ihrer ausgeprägten Beobachtungsgabe. Da Hunde hauptsächlich nonverbal kommuni-

zieren, lesen sie vermutlich nicht unsere Gedanken, sondern interpretieren unsere körperlichen Regungen. Das erklärt vielleicht, warum Ihr Hund plötzlich aufspringt und Sie erwartungsvoll anschaut, wenn Sie gerade daran denken, mit ihm Gassi zu gehen oder seinen Futternapf aufzufüllen. Menschen senden unbewusst ständig Signale. Ihr Hund bemerkt vermutlich Ihre körperlichen Regungen: Ihren Blick auf eine Schranktür, die Verlagerung des Gewichts oder sogar nur einen veränderten Atemrhythmus. Körpersprache läuft manchmal so subtil ab, dass ein anderer Mensch sie gar nicht bemerken würde. Hunde nehmen sie jedoch wahr, weil sie im Lauf der Evolution gelernt haben, dass eine gute Beobachtungsgabe beim Kampf um Leben und Tod von Vorteil ist – und dieses Gespür besitzen sie noch heute.

Telepathie

Während die meisten Wissenschaftler bezweifeln, dass Hunde Gedanken lesen können, halten einige Tierärzte dies durchaus für möglich und sogar für alltäglich – übrigens auch den umgedrehten Fall, dass Hundehalter die Gedanken ihrer Vierbeiner lesen können. Sie glauben, dass Menschen eine natürliche Begabung haben, telepathisch zu kommunizieren, eine Fähigkeit, die bei Kindern besonders ausgeprägt ist und bei Erwachsenen dann oft ungenutzt brachliegt. Selbst Menschen, die noch nie einen Gedanken an Telepathie verschwendet haben, besitzen die Fähigkeit, mit ihren Haustieren zu kommunizieren. Ein Beispiel: Nachdem eine Frau an einem Seminar über die Kommunikation mit Tieren teilgenommen hatte, sah sie

GEDANKENÜBERTRAGUNG

Dass verschiedene Spezies miteinander kommunizieren, ist keine Utopie. Wenn Sie sich einmal in Telepathie versuchen möchten, hier ein paar Tipps von erfahrenen Hundeausbildern:

Nehmen Sie sich ein paar Minuten Zeit, in denen Sie Ihrem Hund Ihre ganze Aufmerksamkeit widmen können, am besten in einer ruhigen Ecke, in der Sie nicht gestört werden. Bereiten Sie ein paar Botschaften vor, die Sie ihm übermitteln wollen.

Atmen Sie ein paarmal tief ein, um sich zu sammeln und alle störenden Gedanken zu verscheuchen. Sagen Sie in Gedanken den Namen Ihres Hundes. Stellen Sie ihn sich gleichzeitig in allen Einzelheiten vor. Ihr Bild von ihm sollte so genau und vollständig wie möglich sein. Stellen Sie Ihrem Hund in Gedanken eine Frage oder teilen Sie ihm Ihre Botschaft mit. Dabei ist es wichtig, dass Sie sich auf die Wörter konzentrieren – nicht, indem Sie sie aussprechen, sondern indem Sie sie in Gedanken formulieren. Versuchen Sie, sich völlig zu entspannen und sich auf mögliche Botschaften, die Sie empfangen, vorzubereiten. In manchen Fällen werden Sie tatsächlich Wörter hören. Meist werden Sie jedoch in Gedanken ein Bild vor sich sehen oder ein Gefühl wahrnehmen. Vielleicht gewinnen Sie den Eindruck, dass Ihr Hund glücklich und zufrieden ist. Vielleicht können Sie sich aber auch vorstellen, was er gerade macht, wenn Sie nicht da sind, oder warum er sich in letzter Zeit so merkwürdig benimmt. Egal, welche Botschaft Sie erhalten, Sie müssen sie in Gedanken anerkennen, damit Ihr Hund weiß, dass Sie sie empfangen haben.

Seien Sie jedoch nicht überrascht, wenn Sie keine Bilder vor Ihrem geistigen Auge sehen. Die meisten Menschen sind es nicht gewohnt, in Gedanken mit ihrem Hund zu kommunizieren, und man braucht viel Zeit und Übung, um ihm richtig »zuzuhören«.

einen Mann und einen großen Hund in einem geparkten Auto sitzen. Sie beschloss, etwas auszuprobieren, was sie bei dem Seminar gelernt hatte. Sie blieb zehn Minuten ganz ruhig auf dem Parkplatz stehen und redete in Gedanken mit dem Hund. Dann ging sie zu dem Auto und sagte: »Hallo.« Der Hund begrüßte sie freundlich, sehr zur Überraschung des Besitzers, der erklärte, dass sein Hund normalerweise sehr aggressiv reagiere und noch nie jemanden in die Nähe des Autos gelassen habe.

Telepathische Kommunikation ist weder verbal noch physisch und funktioniert daher auch über große Entfernungen. Tiere stellen sich oft auf die Menschen, mit denen sie zusammenleben, ein. Sie wollen wissen, wo sich ihre Besitzer aufhalten und was sie gerade tun. Und wenn jemand nach Hause fährt, denkt er wahrscheinlich auch ans Heimkommen, und diesen Gedanken fängt sein Haustier auf.

Eine Tierärztin berichtet, wie sie in Gedanken mit Hunden »gesprochen« hat, die kilometerweit weg waren. Um das Eis zu brechen, beginnt sie diese Gespräche immer damit, dass sie den Hund nach seinen Vorlieben oder Abneigungen befragt. Sobald sie Verbindung aufgenommen hat, stellt sie dem Hund bestimmte Fragen, um seine ganz spezifischen Probleme zu lösen. »Wenn ich auf diese Weise mit Tieren kommuniziere, muss ich aufpassen, dass ich mir nicht schon vorher vorstelle, was sie sagen oder tun werden.

Man braucht sehr viel Übung, um Hunden gut zuhören zu können.«

Doch selbst wenn Sie nicht sofort die Signale Ihres Hundes auffangen, können Sie sicher sein, dass Ihr Hund Sie hören wird – vielleicht nicht die einzelnen Wörter, doch die Wärme und die positiven Gefühle, die Sie in Ihre Worte legen, auf jeden Fall.

Saskia mit dem 6. Sinn

Daniel Müller wusste nicht, wie sie das machte. Wenn er morgens beschloss, nicht zur Arbeit zu gehen, sondern zu Hause zu bleiben, spielte Saskia, seine Schäferhündin, fast verrückt vor Freude. An normalen Arbeitstagen war sie morgens ruhig und schien fast niedergeschlagen. Das Erstaunliche daran war, dass Saskia bereits zu wissen schien, was er vorhatte, noch bevor er mit dem Anziehen fertig war.

Daniel und seine Frau Katja fragten sich, was so verräterisch sei. Daniel hat als Architekt keine festen Arbeitszeiten. Manchmal nimmt er mittwochs frei, gelegentlich arbeitet er am Wochenende. Doch er kündigt selten an, wann er zu Hause bleiben wird. Doch Saskia wusste immer Bescheid, sie schien seine Gedanken zu lesen.

Dann stellten Daniel und Katja irgendwann fest, dass Saskia immer dann aufgeregt – oder niedergeschlagen – reagiert, wenn Daniel ein paar Socken aus der Schublade nimmt. Braune Socken, die er zur Arbeit trägt, bedeuten, er geht aus dem Haus. Weiße Socken stehen für Freizeit, Spiel und Spaß. »Wenn Saskia die weißen Socken sieht, springt sie aufgeregt auf und ab«, erzählt Katja. »Daniel streichelt dann Saskias Kopf, um zu bestätigen, dass dies ein Weiße-Socken-Tag ist, und sie gehen in den Garten, um den Tag gemeinsam zu verbringen.« Kann Saskia Gedanken lesen oder interpretiert sie nur die Zeichen? Die Müllers sind sich immer noch nicht ganz sicher. »Wir wissen nur, dass sie sehr ungern allein zu Hause bleibt.«

KAPITEL FÜNF

DIE SPÜRNASE

Hunde kommunizieren vor allem mittels ihres Geruchssinns. Sie schnüffeln an anderen Hunden, um Alter, Geschlecht und Rang zu bestimmen. Sie können anhand des Geruchs eines Menschen sogar feststellen, in welcher Stimmung er ist.

Es gibt ein leistungsfähiges Instrument, das Tabak unter 27 Schichten Polyäthylen anzeigt oder Termiten aufspürt, die unbemerkt die Fundamente eines Hauses zerstören. Dieses Instrument ist kein vom Menschen konstruiertes technisches Wunderwerk, und man muss auch kein Studium absolviert haben, um es bedienen zu können – die Rede ist von der Hundenase.

Bei den Menschen sind Sehen und Hören die wichtigsten Sinne. Bei Hunden überwiegt der Geruchssinn alle anderen Sinne. Die Nase eines Hundes ist millionenfach empfindlicher als die menschliche. Hunde entdecken Gerüche, von denen wir nicht einmal wissen, dass es sie gibt. Sie können noch so feine Gerüche identifizieren, selbst wenn diese von anderen Düften überdeckt werden. Die Nase eines Hundes ist oft zuverlässiger als die kompliziertesten Instrumente. Deshalb werden Hunde nicht nur zur Drogensuche eingesetzt, sondern auch, um austretendes Gas oder Sprengstoff aufzuspüren oder um Menschen zu finden, die sich in der Wildnis verirrt haben oder unter Lawinen verschüttet wurden.

Die Nase von Hunden ist empfindlicher als jedes Messinstrument. Deshalb werden beim Zoll Hunde eingesetzt, die das Gepäck nach Drogen durchsuchen.

Hunde können besser riechen als Menschen, weil sie mehr Geruchszellen besitzen. Menschen verfügen über rund 400 Quadratzentimeter Riechschleimhaut, Hunde dagegen über 5800 Quadratzentimeter – eine Fläche, die größer ist als die gesamte Körperoberfläche eines Hundes. Die Riechschleimhaut ist mit Geruchsnerven ausgestattet, speziellen Zellen, die für die Geruchswahrnehmung verantwortlich sind.

Ein Deutscher Schäferhund besitzt normalerweise 220 Millionen olfaktorische Rezeptoren, ein Mensch dagegen lediglich 5 Millionen. Man geht davon aus, dass der Geruchssinn mit zunehmender Körpergröße und Länge des Fangs feiner wird. Ein Deutscher Schäferhund z. B. kann Gerüche nicht nur besser wahrnehmen als der Mensch, sondern auch besser als andere Hunderassen. Ein Foxterrier hat z. B. 150 Millionen olfaktorische Rezeptoren, ein Dackel »nur« 125 Millionen.

Hunde haben noch einen zusätzlichen Vorteil: Ihre Nasen sind immer feucht. Man geht davon aus, dass diese Feuchtigkeitsschicht die Geruchsmoleküle einfängt. Im Zusammenwirken mit dem klebrigen Schleim in den Nasenhöhlen können dadurch sehr viele vorbeiziehende Moleküle gesammelt und gespeichert werden. Gerüche ziehen einem Hund jedoch nicht nur einfach so in die Nase. Die Nasenlöcher eines Hundes funktionieren wie Antennen. Hunde zucken mit ihnen, um Gerüche zu sammeln und herauszufinden, woher sie kommen.

Wenn Ihr Hund den Kopf hebt und schnüffelt, dann unterbricht er seinen normalen Atemrhythmus, um neue Informationen zu sammeln. In den Luftströmen schwirren lauter Neuigkeiten herum, und er kann es kaum erwarten, ihnen

Ben hat Heimweh

Drahthaarterrier Ben lebte fast acht Jahre lang glücklich und zufrieden in einem Vorort von München. Doch als seine Besitzer Bernhard und Sabine aus beruflichen Gründen zunehmend unterwegs sein mussten, beschlossen sie, Ben bei Freunden unterzubringen, die 40 km entfernt wohnten. »Wir ließen ihn nur ungern den ganzen Tag allein und dachten, dass es ihm besser gefallen würde, mehr Gesellschaft zu haben.«

Doch Ben hatte andere Vorstellungen. Nur einen Tag nach der Ankunft in seinem neuen Zuhause lief er weg. Seine neuen Besitzer suchten tagelang nach ihm, konnten ihn aber nirgendwo finden. Sie mussten schließlich einsehen, dass er nicht zurückkommen würde.

Drei Monate später hörte Sabine ein Kratzen an der Hintertür. Sie machte die Tür auf und sah Ben vor sich. »Er war abgemagert, und sein Fell war dreckig. Doch selbst in diesem traurigen Zustand freute er sich, mich zu sehen.« Sie konnte nicht begreifen, wie es Ben gelungen war, nach all den Monaten den Heimweg zu finden – er musste Bahngleise und viel befahrene Straßen gekreuzt und freies Gelände durchquert haben. »Es ist ja bekannt, dass Hunde einen sehr guten Geruchssinn haben, und ich kann mir nur vorstellen, dass er ihm gute Dienste geleistet hat. Nach diesem Abenteuer musste er natürlich bei uns bleiben!«

Hunde wie dieser ibizenkische Podenco schnuppern, um Geruchsmoleküle zu sammeln und deren Herkunft zu orten.

23

nachzugehen und herauszufinden, was los ist. Er muss aktiv schnüffeln, um Düfte mit seinem Geruchssinn aufnehmen zu können. Tut er das nicht, dann stellt er seine Nase, beziehungsweise seinen Geruchssinn, bewusst ab.

Die Duftmoleküle, die Hunde mit jedem Schnüffeln sammeln, werden schließlich destilliert und zum Gehirn transportiert. Das Gehirn ist überwiegend damit beschäftigt, sich an die Gerüche zu erinnern und diese zu interpretieren. Diese Geruchs-Datenbank können Hunde ihr ganzes Leben lang ständig anzapfen.

Gerüche beeinflussen sowohl das Verhalten als auch die Physiologie eines Hundes. Die Erinnerungen an bestimmte Gerüche begleiten Hunde ihr ganzes Leben und spielen bei fast allen Hunderassen eine wichtige Rolle. Gerüche verraten Hunden, wo sie gerade sind, wer ihr Gegenüber ist und in welchem Gemütszustand sich das andere Wesen befindet.

pfählen schnüffeln, bekommen anhand der Duftmarken, die andere Hunde hinterlassen haben, sehr viele Informationen mitgeteilt. Der Urin von läufigen Hündinnen enthält z. B. andere Sexual-Duftstoffe – so genannte Pheromone – als der von nicht-läufigen Hündinnen. Für Rüden sind solche Informationen natürlich hochinteressant. Doch nicht nur der Urin enthält Duftsignale. Die Analdrüsen, der Kot und der Speichel enthalten ebenfalls Geruchsinformationen, hinter denen Hunde her sind.

Auch wenn Hunde sich miteinander bekannt machen, indem sie sich gegenseitig mit der Nase berühren und beschnuppern, widmen sie zunächst dem Hinterteil am meisten Aufmerksamkeit. Ein kurzes Schnuppern enthüllt eine Menge: das Alter und das Geschlecht des Hundes, ob er oder sie kastriert wurde, und ob es sich um einen Verwandten oder um ein fremdes Individuum handelt. Gerüche geben

Wie Hunde mittels Geruch kommunizieren

Ein Hund, der an einem Baum sein Bein hebt, verhält sich keineswegs unanständig. Eigentlich macht er nur einen Aushang am schwarzen Brett der Gemeinde. Der Geruch des Urins ist so einmalig wie der Fingerabdruck eines Menschen. Hunde, die an Bäumen, Straßenschildern und Zaun-

Mit Hilfe seiner Nase kann dieser Border Collie das Alter, das Geschlecht und den Rang anderer Hunde ermitteln, die sich in seinem Revier aufgehalten haben.

Diese beiden Picardiehunde beschnuppern sich wie alle Hunde ausgiebig, denn dadurch sammeln sie viele persönliche Informationen.

außerdem über das Selbstbewusstsein und den sozialen Rang Auskunft sowie darüber, in welcher Stimmung der betreffende Hund ist. Hunde verarbeiten all diese Informationen und überlegen rasch, welcher Art die Beziehung zum anderen Hund sein wird.

Auch Hunde, die einander gut kennen, weil sie z. B. im selben Haushalt leben, beschnuppern einander noch häufig – wenn auch meist nicht mehr so ausgiebig wie bei fremden Tieren. Die Verhaltensforschung hat noch nicht herausgefunden, warum sich Hunde, die sich gut kennen, immer wieder beschnuppern. Vielleicht fragen Hunde damit nur: »Wie geht's dir heute?«, und tauschen den neuesten Klatsch aus.

Die Faszination, die Gerüche auf Hunde ausüben, ist offenbar so groß, dass es mit Schnüffeln allein nicht getan ist. Selbst Hunde, die ihr ganzes Leben im Haus verbracht haben, scheinen sich instinktiv bei der erstbesten Gele-

genheit schmutzig machen und in Kot wälzen zu wollen – zur Tarnung, wie die Verhaltensforschung glaubt. Hunde benutzen den Geruch eines anderen Lebewesens, um sich vor der Beute, die sie verfolgen, zu tarnen. Das haben Hunde zwar heutzutage nicht mehr nötig, doch dieser Instinkt besteht weiter fort.

Menschliche Gerüche

Ihr Hund kennt Ihren Geruch und hat ihn in seinem Gedächtnis gespeichert, zusammen mit den Gerüchen aller anderen Leute, die ihm vorgestellt wurden. Einige Menschen werden Ihrem Hund in angenehmer, andere in schlechter, weil mit Angst oder Hass besetzter Erinnerung bleiben. Diese Duft-Erinnerung wird bei jeder Begegnung neu aufgerufen.

Der Geruch, den ein Hund am meisten schätzt, ist der seiner Besitzer. Der vertraute Geruch vermittelt ein Gefühl von Geborgenheit und Sicherheit. Daher sollten Sie ein getragenes Kleidungsstück bei Ihrem Vierbeiner lassen, wenn er länger allein bleiben muss. Das Kleidungsstück trägt Ihren Geruch – das beruhigt.

Außerdem erfährt ein Hund anhand Ihres Geruchs sehr viel über Ihren Gemütszustand. Der Körpergeruch eines Menschen verändert sich je nach Stimmungslage, und Hunde scheinen diese Veränderungen wahrnehmen zu können. Die Forschung hat gezeigt, dass Freudentränen eine andere Zusammensetzung haben als Tränen der Wut, und einige Experten glauben, dass Hunde den Unterschied erkennen und sofort wissen, ob sie Ihre Hand lecken oder einen großen Bogen um Sie machen sollten, bis Sie sich wieder beruhigt haben.

RASSENSPEZIFISCHES

Bloodhounds, Beagles, Norwegische Elchhunde (rechts) und Labrador-Retriever, die gezüchtet wurden, um zu jagen und zu apportieren, besitzen den besten Geruchssinn. Durch Training kann aber der Geruchssinn bei jedem Hund verbessert werden.

Norwegische Elchhunde besitzen einen erstaunlichen Geruchssinn und können Wild bereits in über 4 km Entfernung riechen.

Parfüm, Deodorant, Zigarettenrauch oder andere Gerüche, die der Haut und der Kleidung anhaften, machen zusammen mit dem Körpergeruch den individuellen Geruch eines Menschen aus. Verändert man eine Komponente, indem man z. B. ein neues Parfüm benutzt, kann das den Hund verwirren und es ihm schwerer machen, jemanden sofort zu erkennen.

Hunden ist es egal, ob Sie verschwitzt sind – dennoch gibt es auch Gerüche, die Hunde nicht mögen. Dazu gehören alle Zitrusdüfte sowie der von kräftigen Gewürzen wie Pfeffer. Besonders verabscheuen sie den Geruch von Zitronengras, der deshalb für Hundeabwehrsprays verwendet wird. Es gibt natürlich auch Gerüche, die Hunden besonders gefallen, und das sind oft diejenigen, die Menschen abstoßen.

Manchmal wird der Geruchssinn eines Hundes durch Krankheit beeinträchtigt. In solchen Fällen verlässt sich der Hund mehr auf seine anderen Sinne. Vermutlich frisst er dann weniger. Für Hunde ist der Geruch ihres Futters noch wichtiger als der Geschmack. Tierärzte empfehlen, das Futter aufzuwärmen, da Wärme mehr Aroma freisetzt und der Hund dadurch vielleicht wieder zum Fressen angeregt wird.

NASE IM EINSATZ

Für Arbeitshunde ist ihr Geruchssinn besonders wichtig. Sie setzen ihn ein, um Drogen und Sprengstoff aufzuspüren oder um Menschenleben zu retten. Speziell ausgebildete Hunde können Menschen, die unter Lawinen oder Geröll verschüttet sind, ausfindig machen.

In Kalifornien werden auf Flughäfen und Postämtern Beagles eingesetzt, um Früchte, Pflanzen und Fleischwaren aufzuspüren, die illegal eingeführt werden sollen.

Die Forschung hat gezeigt, dass Hundenasen temperaturempfindliche Infrarot-Rezeptoren enthalten. Zusammen mit ihrem ausgeprägten Geruchssinn helfen diese Rezeptoren den Hunden dabei, tief unter dem Schnee verschüttete Menschen zu finden.

Ausgebildete Hunde können auch Menschen finden, die sich in der Wildnis verirrt haben. Sie entdecken sogar abgestoßene Hautzellen an Stellen, an denen sich vor kurzem noch Menschen aufgehalten haben.

KAPITEL SECHS

»Unhörbare« Frequenzen

Hunde besitzen ein erstaunlich gutes Gehör, und sie schenken Geräuschen mehr Beachtung als Menschen. Als Halter können Sie sich ihr hervorragendes Hörvermögen zunutze machen und den Tieren helfen, rascher zu lernen.

Können Sie das Fiepen einer Maus in der Wand hören, das im Ultraschallbereich angesiedelte Piepsen der fast leeren Batterie eines Rauchmelders oder das leise Grollen eines noch weit entfernten Gewitters? Sicher nicht, doch Hunde hören solche leisen oder sehr hohen Geräusche laut und deutlich. Ihr außergewöhnliches Hörvermögen geht auf die Zeit zurück, in der sie noch wild lebten. Damals entschied die Fähigkeit, auch nur das leiseste Geräusch wahrzunehmen, darüber, ob sie etwas zu fressen bekamen oder Hunger leiden mussten. Auch wenn die Notwendigkeit, nach Beute zu lauschen, inzwischen nicht mehr gegeben ist, verlassen sich Hunde noch immer auf ihr Gehör, um ihre Umwelt besser zu verstehen.

Experten haben festgestellt, dass Hunde Geräusche aus weitaus größerer Entfernung hören können als Menschen: Ein Mensch hört etwas, was maximal 100 Meter entfernt ist, ein Hund dagegen hat eine akustische Reichweite von gut 400 Metern! Hunde hören außerdem Töne im Hochfrequenzbereich, die der Mensch nicht wahrnimmt.

Hunde sehen vielleicht nicht besonders gut, doch mit ihrem überaus empfindlichen Gehör machen sie diesen Nachteil mehr als wett. Sie hören z. B., dass Sie nach Hause kommen, lange bevor Sie in Ihre Auffahrt eingebogen sind. Hunde wissen außerdem, wann Sie aufgeregt oder verwirrt sind, auch wenn Sie sich noch so sehr bemühen, es sich nicht anmerken zu lassen.

Eine wirkungsvolle Methode, um die Aufmerksamkeit von Hunden zu erregen oder ihnen neue Kommandos beizubringen, besteht

Dieser Labrador weiß immer, wann sein Besitzer nach Hause kommt, weil er das Geräusch seines Autos von allen anderen Autos unterscheiden kann.

darin, sich ihr gutes Gehör zunutze zu machen. Nicht nur, dass sie Dinge hören, die wir nicht hören, sie nehmen sie auch anders wahr. Diese Unterschiede können Sie nutzen, um ihnen dabei zu helfen, rascher zu lernen, sich sicherer zu fühlen und besser zu verstehen, was Sie sagen.

Warum Hunde so gut hören

Bevor Hunde domestiziert wurden, hing ihr Leben von ihrem guten Gehör ab. Sie mussten rechtzeitig wahrnehmen, wann Gefahr drohte, und sie konnten sich mit anderen Hunden in weiter Ferne verständigen. Außerdem entging ihnen kein noch so kleines oder vorsichtiges Beutetier. Von diesen im Laufe der Evolution ausgebildeten Verhaltensmustern sind Hunde noch heute geprägt. Forscher haben herausgefunden, dass das menschliche Gehirn vor allem auf Lernen und Gedächtnis ausgerichtet ist, das Gehirn eines Hundes hingegen auf Geräusche.

Hunde hören vor allem deshalb so viel besser als Menschen, weil ihre Ohren größer sind. Sie sind außerdem gewölbt, was es den Hunden ermöglicht, alle erreichbaren Schallwellen aufzufangen und sie zum Trommelfell weiterzuleiten. Ein weiterer Vorteil besteht darin, dass ihre Ohren beweglich sind wie Antennen. Hunde besitzen fünfzehn verschiedene Muskeln, um die Ohren aufzustellen, hängen zu lassen und seitwärts zu bewegen. Zudem können sie beide Ohren unabhängig voneinander bewegen, wo-

GESANG DER SIRENEN

Das hohe Geheul einer Sirene kann auch ruhige Hunde dazu bewegen, selbst ein Geheul anzustimmen, denn Hunde hören Töne im Hochfrequenzbereich sehr gut. Experten gingen deshalb früher davon aus, dass Sirenengeheul ihnen in den Ohren wehtut.

Doch sehen die Hunde eigentlich nicht unglücklich aus, wenn sie Sirenen anheulen, und es scheint ihnen auch nicht unangenehm zu sein. Im Gegenteil, den meisten Hunden macht es offenbar Spaß. Es liegen keine Beweise dafür vor, dass ihnen dieses Geheul in den Ohren wehtut, sagt die Forschung heute. Plausibel klingt die Erklärung, dass Hunde von Wölfen abstammen. Wölfe heulen, um die Mitglieder ihres Rudels zu begrüßen und über große Entfernungen hinweg miteinander zu kommunizieren. Hunde haben heute nicht mehr viel mit Wölfen gemein, doch einige Instinkte sind geblieben. Es ist unwahrscheinlich, dass sie Sirenengeheul mit dem Gruß eines anderen Hundes verwechseln, dennoch antworten sie darauf, wie es sich gehört – indem sie zurückheulen.

SCHON ??? GEWUSST?

Können Hunde buchstabieren?

Manche Hunden reagieren so aufgeregt, wenn sie Wörter hören wie »lauf« oder »Keks«, dass ihre Besitzer eine Art Code entwickeln, um zu verhindern, dass ihr Hund bei den betreffenden Wörtern jedes Mal verrückt spielt. Anstatt »lauf« zu sagen, buchstabieren sie es und sagen »l-a-u-f«. Doch in der Regel dauert es nicht lange, bis Hunde merken, dass l-a-u-f bedeutet, dass sie herumtoben und bellen dürfen, bis jemand die Leine in die Hand nimmt. Auch wenn Hunde nicht buchstabieren können, sind sie sehr wohl in der Lage, komplexe Klangmuster zu lernen und zu begreifen, was sie bedeuten, so die Erfahrung von Hundetrainern: »Wenn Sie ein Wort wie ›lauf‹ jedes Mal buchstabieren, wenn Ihr Hund toben darf, wird er irgendwann die Bedeutung begreifen.«

durch sie Geräusche aus unterschiedlichen Richtungen wahrnehmen und lokalisieren können.

Mit Hilfe dieser ausgereiften Anatomie nehmen Hunde erstaunliche Dinge wahr: Sie hören, selbst wenn sie drei Zimmer weiter tief schlafen, eine Katze an ihrem Futternapf schnuppern. Sie können allein mit Hilfe des Gehörs feststellen, ob es sich bei dem, was vom Schneidebrett herunterfällt, um ein langweiliges Stück Rosenkohl oder einen appetitlichen Fleischhappen handelt. Selbst wenn sie im Garten herumtollen, wissen sie in dem Augenblick, in dem Sie die Klinke drücken, dass Sie zu Hause sind.

Dank ihres guten Gehörs ist für Hunde die Welt sehr interessant und unterscheidet sich erheblich von der des Menschen. Wir wissen, dass die Welt der Hunde mehr Töne aufweist als die Welt der Menschen. Trotz ihres ausgezeichneten Gehörs werden Hunde jedoch weder von der Vielzahl der Geräusche noch von ihrer Lautstärke überwältigt – genauso wie Menschen in aller Regel mit all den visuellen Eindrücken fertig werden. All das, wofür Hunde sich nicht interessieren oder was sie nicht wissen müssen, filtert ihr Gehirn heraus. Daher können sie trotz einer lauten Diskussion im Nebenzimmer schlafen, werden jedoch sofort wach, wenn jemand ihren Namen sagt. Oder sie verkriechen sich, wenn jemand Wasser in einen Zuber laufen lässt, um einen Pullover zu waschen, weil sie befürchten gebadet zu werden – wohingegen sie es ignorieren, wenn Wasser zum Geschirrspülen ins Becken läuft. Sie nehmen selektiv nur die Geräusche wahr, die etwas mit ihnen zu tun haben.

Menschen wünschen sich oft, dass sie einige der Geräusche, die die Aufmerksamkeit eines Hundes erregen, selbst hören könnten: das Geräusch z. B., das ein Fremder macht, der über den Zaun klettert. Dies ist eine Situation, bei der eine Familie das gute Gehör ihres Vierbeiners besonders zu

Dieser Labrador hört Geräusche von kleinen Tieren unter dem Schnee, also folgt er seinem Instinkt und buddelt, um nachzusehen.

schätzen weiß. Doch manchmal reagiert das Gehör eines Hundes – wie die Alarmanlage beim Auto – zu empfindlich. Gelegentlich fangen Hunde an zu bellen, weil sie etwas hören, was die anderen gar nicht interessiert.

Dass Hunde in der Lage sind, auch Töne im Hochfrequenzbereich wahrzunehmen, hat für sie überraschende Vorteile. Die Tonimpulse einer Fledermaus sind z. B. für die meisten Lebewesen, so auch für Rinder, viel zu hoch. Das ist vielleicht der Grund dafür, warum in Südamerika Rinder häufig von Blut saugenden Fledermäusen angegriffen werden, Hunde jedoch nur selten. Offenbar können Hunde die Tonimpulse der Fledermäuse hören und ihnen so aus dem Weg gehen.

Es hat den Anschein, als ob alle Hunde, unabhängig von Größe oder Rasse, ungefähr gleich gut hören. Kleine Hunde hören

Auf Baumwache

Keiner weiß das gute Gehör eines Hundes mehr zu schätzen als Jessica Maurer aus Portland in Maine. Wäre ihre elf Jahre alt Samojedenhündin Gretchen nicht gewesen, wären sie und ihre Freunde heute vermutlich nicht mehr in der Lage, folgende Geschichte zu erzählen:

Jessica hatte sich mit ihrer Mitbewohnerin und zwei Nachbarn im Garten an einen Tisch gesetzt. Sie wollten gerade essen, als Gretchen plötzlich zu heulen begann. Jessica sah, dass Gretchen auf die über 20 m hohe Platane starrte, die über dem Tisch aufragte. In dem Augenblick hörten sie ein Splittern. Ihnen wurde klar, dass der Baum gleich umstürzen würde, und sie brachten sich in Sicherheit. Jessicas Mitbewohnerin war nicht schnell genug und wurde noch am Bein verletzt. Doch die anderen kamen mit dem Schrecken davon – dank Gretchens gutem Gehör.

HUNDEGESCHICHTEN

Größe und Form der Ohren haben keinen Einfluss auf das Hörvermögen. Ein Cavalier-King-Charles-Spaniel mit Hängeohren hört genauso gut wie ein Belgischer Schäferhund mit Stehohren.

die Töne aus dem Hochfrequenzbereich nicht schlechter als große Hunde, und diese hören tiefe Töne nicht besser als kleinere Artgenossen. Die Form der Ohren scheint ebenfalls keinen Einfluss auf das Hörvermögen zu haben. Hängeohren und Stehohren schnitten bei Tests gleich gut ab. Überraschenderweise machte es bei Hunden mit Hängeohren fast keinen Unterschied, ob diese wie gewöhnlich herunterhingen oder aufgestellt waren und der Gehörgang freilag.

Was jedoch von der Rasse abhängt, ist die Wahrscheinlichkeit, dass ein Hund taub geboren wird. Die Ursache hierfür ist eine genetisch bedingte Störung, die vor allem bei Hunden mit weißem und Blue-Merle-Fell vorkommt. Besonders häufig ist das bei Dalmatinern der Fall. Andere Rassen, die davon betroffen werden, sind Australischer Schäferhund, Boston Terrier, English Setter und Bobtail. Doch taube Hunde lernen, ihre Taubheit durch andere Mittel wettzumachen. Hunde verbringen ohnehin den größten Teil ihrer Zeit damit, geräuschlos zu kommunizieren. Sie beobachten eingehend Körpersprache, Mimik und Augen. Taube Hunde lernen sehr gut, in Menschen zu »lesen«.

Hunde ansprechen

Da Hunde sich auf hohe Töne einstellen und lebhaft auf sie reagieren, erregt man am ehesten ihre Aufmerksamkeit, wenn man die Stimme hebt. Bei Erziehungsübungen und wenn Sie Ihren Hund rufen, können Sie das ausprobieren. Auch ein Lob mit hoher Stimme ist sehr effektiv.

Allerdings reagieren Hunde auch auf tiefe Töne, vermutlich weil diese sie an das Knurren und Brummen erinnern, das sie schon von Geburt an hören – erst von ihrer Mutter, wenn sie sie tadeln will, und später von Hunden, die mit ihrem Knurren signalisieren: »Lass mich in Ruhe« oder »Rühr das nicht an, es gehört mir«.

Im Gegensatz zu hohen Tönen, bei denen Hunde glücklich und aufgeregt sind, machen tiefe Töne sie eher nervös, weil sie diese Geräusche mit »Leithunden« assoziieren. Sie können das nutzen, indem Sie bei Ungehorsam mit tiefer, knurrender Stimme sprechen. Er versteht dann, dass Sie es ernst meinen.

Gute Ergebnisse erzielen Sie auch dadurch, dass Sie die Lautstärke Ihrer Stimme variieren. Wenn Sie laut rufen, erregen Sie zwar die Aufmerksamkeit des Hundes, doch möglicherweise erschrecken Sie ihn damit auch oder schüchtern

ihn ein. Mit leiserer Stimme erreichen Sie häufig mehr. Wenn Sie die Aufmerksamkeit Ihres Hundes erst einmal haben, kann Flüstern sehr wirkungsvoll sein. Hunde werden dann genauso neugierig wie Menschen und rücken dichter an Sie heran, um zu hören, was Sie sagen.

SCHON GEWUSST?

Mögen Hunde Musik?

Vielen Hunden scheint es zu gefallen, wenn ihre Besitzer die Stereoanlage einschalten. Manche legen sich friedlich zu ihren Füßen, wenn klassische Musik oder sanfte New-Age-Klänge ertönen, andere stellen beim Klang von fetziger Popmusik die Ohren auf. Experten vermuten, dass nicht die Art der Musik die Aufmerksamkeit der Hunde erregt, sondern unsere Reaktion darauf.

Unsere Hund sind Experten, wenn es darum geht, unsere Körpersprache wahrzunehmen und zu interpretieren. Wenn wir Musik hören, die uns gefällt, strahlt unser Körper Wohlbefinden aus. Vielleicht wippen wir im Takt mit der Fußspitze, tanzen oder summen mit. Jede Musik, die uns aufheitert, schlägt sich in einer Körpersprache nieder, die unseren Hunden gefällt. Unser Körper signalisiert, dass es uns gut geht, also geht es auch unserem Hund gut.

Möglicherweise entwickeln Hunde sogar musikalische Vorlieben, doch meist werden sie die Art von Musik gern hören, die auch ihren Besitzern gefällt.

Sicher warten sie nicht auf die neueste Aufnahme von Luciano Pavarotti, doch wenn sie merken, dass wir ihn gern singen hören, gefällt er ihnen auch.

ZWEITER TEIL

GUT GEBELLT

Für die Verständigung untereinander verlassen sich Hunde in erster Linie auf Körpersprache und die Wahrnehmung von Gerüchen. Dennoch setzen sie auch ihre Stimme ein – sowohl um sich anderen Hunden als auch uns Menschen mitzuteilen. Die Art des Gebells verrät uns viel über das, was in einem Hund vorgeht. Und da die Hundesprache nun einmal das Bellen ist, können Sie sich besser verständlich machen, wenn Sie gelegentlich zurückbellen.

KAPITEL SIEBEN

DIE SPRACHE DES BELLENS

Hunde bellen unterschiedlich, um unterschiedliche Botschaften zu übermitteln. Wenn sie einander anbellen, klingt es anders, als wenn sie die Aufmerksamkeit ihres Besitzers erregen oder zeigen wollen, dass sie glücklich sind – oder nervös oder ängstlich.

V or ein paar tausend Jahren hatte das Bellen noch eine sehr wichtige Funktion. Auch wenn wilde Hunde damals in Rudeln lebten, gingen sie doch tagsüber oft getrennte Wege, um zu jagen oder nach paarungswilligen Artgenossen Ausschau zu halten. Durch Bellen konnten sich die Tiere auch über große Entfernungen hinweg verständigen. Das Gebell hatte sowohl die Funktion eines Ferngesprächs als auch die eines schwarzen Bretts – Hunde konnten so zu einem einzelnen Artgenossen oder auch gleich zur ganzen Meute »sprechen«. Und im Gegensatz zu Duftmarken hinterließ das Bellen keine Spuren, die Raubtiere verfolgen konnten. Wenn Wildhunde und ihre Vorfahren, die Wölfe, auch nicht besonders viel bellten, so war es doch gelegentlich nützlich.

Vom entwicklungsgeschichtlichen Standpunkt aus betrachtet, ist das Bellen heutzutage nicht mehr besonders sinnvoll. Hunde leben oft in Wohnungen oder Häusern und müssen sich daher nicht mehr über große Entfernungen hinweg verständigen. Und da Hunde überwiegend mit Menschen zusammenleben, ist Bellen auch kein geeignetes Mittel zur Verständigung. Dennoch bellen moderne Hunde mehr als ihre Vorfahren – nicht, weil sie sich dadurch verständlich machen wollen, sondern weil sie im

Einst bellten Hunde, um sich auf Distanz zu verständigen. Diese Münsterländer haben ihre Freunde in der Nähe, doch das ererbte Verhalten ist geblieben.

Grunde unreif sind. So wie Kinder häufig vor sich hin reden, bellen Hunde oft nur, weil sie ihre eigene Stimme hören wollen.

Ewige Jugend

Alle Eltern werden bestätigen, dass die Zeit des Heranwachsens bei Kindern mit viel Lärm verbunden ist. Das ist bei Hunden nicht anders, sie

BELLEN, JODELN UND KRÄHEN

Der Basenji (links), eine Rasse, die ursprünglich aus Afrika stammt, ist ein mittelgroßer, eleganter Hund mit einer auffälligen, über dem Rücken geringelten Rute. Ein ungewöhnlich geformter Kehlkopf ist offenbar dafür verantwortlich, dass Basenjis nicht bellen. Dafür geben sie jedes andere nur denkbare Geräusch von sich. Am häufigsten hört man von ihnen Töne, die irgendwo zwischen Glucksen und Jodeln anzusiedeln sind.

Basenjis geben nicht nur höchst seltsame Geräusche von sich, sie sind auch schweigsamer als die meisten anderen Hunde. Das liegt vermutlich daran, dass sie früher in Rudeln jagten – und bei dem Versuch, sich an sein Abendessen anzuschleichen, macht man eben besser keinen Lärm.

Ein weiterer ungewöhnlicher Vokalist ist einer der scheuesten Wildhunde der Welt, der Singende Hund von Papua-Neuguinea (rechts). Der kleine Hund mit rötlich weißem Fell lebt im Hochland der großen westpazifischen Insel, und sein merkwürdiges Gebell klingt wie das Krähen eines Hahns. Das Geräusch trägt über sehr weite Entfernungen und ermöglicht den isoliert lebenden Rudeln, den Kontakt untereinander aufrechtzuerhalten. Selbst Singende Hunde, die sich noch nie begegnet sind, »unterhalten« sich über die Täler hinweg.

Diese Hunde sind von Natur aus Einzelgänger. Sie werden auch als Nachthunde oder Schwarze Hunde bezeichnet, nicht wegen ihrer Farbe, sondern weil man sie lediglich hört und nur sehr selten bei Tag zu Gesicht bekommt.

können echte »Plappermäuler« sein, wenn sie noch nicht ausgewachsen sind. In der Wildnis reifen Hunde schneller heran und beginnen früher, Verantwortung zu übernehmen. Doch in der Welt von heute sind Hunde stets auf ihre Besitzer angewiesen. In gewisser Hinsicht werden Hunde nie erwachsen. Sie bellen immer weiter, weil die Domestizierung verhindert, dass sie

Bellen rettet Leben

Ein Hund, der nicht aufhört zu bellen, kann eine echte Plage sein. Die Krankenschwester Lisa aus Minden verdankt dem entschlossenen Kläffen ihres Hundes jedoch ihr Leben.

An einem Sommermorgen begann Lisas schokoladenbrauner Labrador Cäsar zu bellen und hörte nicht mehr auf. Er bellte dermaßen laut und anhaltend, dass Lisas Nachbarn sich fragten, was wohl los sei. »Sein Bellen klang ganz anders als sonst«, erinnert sich die Nachbarin Beate. »Es war sehr hoch und hörte sich an wie ein Jaulen.« Beate rief bei Lisa an, um zu fragen, was los war. Als niemand abnahm, rief Beate die Polizei. Dann ging sie nach draußen und sah, wie Cäsar auf der gegenüberliegenden Straßenseite hinter Lisas Schlafzimmerfenster im ersten Stock stand und immer noch aufgeregt bellte.

Die Polizei kam und brach durch ein Fenster in das Haus ein. Drinnen wurden die Beamten schon von Cäsar begrüßt, der die Treppe hinauf in Lisas Schlafzimmer rannte. Dort lag sein Frauchen bewusstlos auf dem Bett. Im Krankenhaus stellten die Ärzte einen viel zu niedrigen Blutzuckerspiegel fest. Lisa litt an Diabetes und war in ein lebensgefährliches Koma gefallen.

Lisa wurde wieder gesund und war erstaunt, als sie erfuhr, wie Cäsar durch sein Gebell Hilfe geholt hatte – ein Beweis für die enge Bindung zwischen Hund und Mensch.

vor Fremden, es macht ihn auf Wild aufmerksam und signalisiert ungebetenen Gästen, dass ein Hund aufpasst. Spezielle Rassen wurden gezüchtet, die besonders viel bellen, und so wurden diese »Stimmgene« über Generationen weitervererbt.

Die meisten Menschen heute empfinden das Bellen eher als sehr störend, trotzdem lassen Hunde nicht davon ab. Das liegt zum Teil auch daran, dass wir Hunde unabsichtlich zum Bellen ermutigen. So berühren Hundebesitzer z. B. beim Spazierengehen oft den Kopf des Hundes und mahnen ihn, wenn er Laut gibt – für Hunde ein Zeichen, dass sie ihre Sache gut gemacht haben und weitermachen sollen. Etwas Ähnliches geschieht, wenn schlaftrunkene Hundebesitzer den Kopf zum Fenster hinausstrecken und dem Hund zurufen, leise zu sein. Bellende Hunde wollen eine Antwort, und wenn jemand auf ihr Bellen reagiert, ist ihnen das nur recht.

über das Jugendalter hinauswachsen – und junge Hunde bellen nun einmal am meisten. Erst wenn sie mehr Erfahrung haben, bellen sie weniger. Sobald es ihnen gelingt, die subtilen Signale der Körpersprache zu interpretieren und selber zu vermitteln, werden sie ruhiger.

Es ist kein Zufall, dass Hunde mit zunehmender Domestizierung mehr zu bellen begannen. Der Mensch erkannte rasch, dass Bellen sehr nützlich sein konnte. Es warnt den Besitzer

Bellen richtig gedeutet

Hunde bellen aus allen möglichen Gründen. Sie bellen nicht nur zur Begrüßung anderer Hunde, sondern auch, um Aufmerksamkeit zu erregen oder um zu signalisieren, dass sie fröhlich und aufgeregt sind. Durch das Bellen lassen sie Dampf ab, bauen Stress ab und bekämpfen Langeweile. Hunde können auf unterschiedliche Art und Weise bellen und jedes Mal ist etwas ganz anderes damit gemeint. Wenn man den Rhythmus, die Tonhöhe und die Gesamtmelodie beachtet, erfährt man schon eine ganze Menge über das, was der Hund einem sagen möchte.

Kräftiges, regelmäßiges Bellen

Auf Fremde, die sich nähern, oder auf Geräusche, die sie draußen wahrnehmen, reagieren Hunde meist mit einer Reihe von einzelnen Signalen oder mit einem schnell wiederholten Wau-wau-wau. Diese Art von Gebell ist eine Warnung. Es soll den Eindringling nicht unbedingt vertreiben, der Hund will aber seine Besitzer wissen lassen, dass etwas nicht stimmt. Außerdem möchte er der Bedrohung nicht allein gegenüberstehen, also ruft er um Hilfe.

Dem Gebell allein können Sie nicht entnehmen, ob es sich bei dem Eindringling um einen Menschen oder einen Hund handelt. Erst

Wenn ein Hund im Auto Fremde anbellt, ist sein Bellen kräftig und laut, weil er Sie vor einer möglichen Gefahr warnen will.

Auch wenn Hunde heute zum Überleben nicht mehr jagen müssen, wird ihr Jagdinstinkt von kleineren Tieren immer noch geweckt – zumindest wird gebellt.

die Körpersprache des Hundes liefert weitere Hinweise. Wenn sich z. B. ein fremder Hund nähert, wird Ihr Hund wahrscheinlich ständig vorlaufen und dann wieder ein paar Schritte zurückkommen. Handelt es sich jedoch um einen altbekannten Hundefreund, werden Sie Spielverbeugungen, einen wedelnden Schwanz und fröhlich aufgestellte Ohren sehen.

Ganz ähnlich begrüßen Hunde ihnen vertraute Menschen. Selbst das tiefe und regelmäßige Bellen hört sich dann fast fröhlich an – und diese Botschaft wird durch ein fröhliches Hecheln und Schwanzwedeln noch verstärkt.

Schnelles, wütendes Bellen

Hunde können nicht besonders gut sehen, und in der Entfernung unterscheidet sich ein hoppelndes Kaninchen vermutlich nicht sehr von einem Menschen auf Inlineskates. Also reagieren Hunde darauf wie auf alles, was sich

*Ein Cockerspaniel hält den
Rekord im Dauerbellen:
907-mal innerhalb von
zehn Minuten!*

RASSENSPEZIFISCHES

Fast alle Hunde bellen gelegentlich, doch
einige Rassen neigen eher zum Bellen als
andere. Das liegt daran, dass sie zu unterschiedlichen Zwecken eigens wegen ihrer
Stimme gezüchtet wurden.

Jagdhunde wie Beagle, Foxhound, Bloodhound und Basset setzen ihre Stimmen sehr
oft ein, weil sie dafür gezüchtet wurden, ihren
Besitzern während der Jagd Laut zu geben.
Das dumpfe Gebell eines Beagles und das
traurige Heulen eines Bloodhounds sind
besonders durchdringend und hartnäckig.

Schäfer- und Hütehunde wie Australische
Kelpies und Shelties wurden darauf trainiert,
durch Bellen ihre Herden zusammenzuhalten.

Terrier wie Zwergschnauzer und Jack-Russell-
Terrier sollten ihre Besitzer auf Nagetiere
aufmerksam machen. Zwerghunde wie Spitz,
Pekinese und Zwergpudel wurden als Schoßhunde gezüchtet, daher ist ihre Neigung zum
Bellen eigentlich ein wenig ungewöhnlich. Sie
sind jedoch kleine, lebhafte Vierbeiner, die
gerne ihren Mut unter Beweis stellen.

schnell bewegt, mit einem hohen schnellen
Bellen, das signalisiert: »Da sollte ich besser hinterher – oder es zumindest anbellen.« Diese Art
Gebell wird von einer selbstbewussten Körperhaltung begleitet, dazu zählen eine hoch erhobene Rute und aufgestellte Ohren. Einige Hunde
bellen so, wenn sie etwas sehen, was sie nicht erkennen – das kann eine Person im Regenmantel,
ein Staubsauger oder auch das eigene Spiegel-
bild sein. Dabei ist bei dem Hund dasselbe Verhalten zu beobachten, das er auch beim Anbellen eines fremden Hundes an den Tag legt.

Hohes Bellen

Hunde, die etwas Bestimmtes wollen, bitten oft
mit einem ohrenbetäubenden Kläffen darum.
Normalerweise kläffen sie erst einmal, warten
dann einen Augenblick, um zu sehen, was passiert, und bellen dann erneut, wenn sie nicht zufrieden sind. Oder sie bellen ein paarmal hin-
tereinander sehr hoch, um Ihre Aufmerksamkeit
zu erregen. In beiden Fällen wird das Gebell
normalerweise von Schwanzwedeln oder anderen spielerischen Signalen begleitet.

Hohes, eindringliches Bellen

So wie manche Menschen versuchen, ihrer Unruhe durch Aufundabgehen Herr zu werden,
verlegen sich Hunde auf ein schnelles, hohes
und verzweifelt klingendes Bellen. Mit Bellen
bauen Hunde Stress ab.

Einige Hunderassen bellen besonders dann,
wenn sie sich einsam fühlen. Dazu zählen auch
gesellige Hunde wie Beagles, Hirtenhunde wie
Collies und Rassen, die ausschließlich als Be-
gleithunde gezüchtet wurden, sowie die meisten
Schoßhunde.

KAPITEL ACHT

BELLEN SIE ZURÜCK

Menschen beherrschen die Hundesprache nicht besonders gut, doch manchmal macht ein Knurren oder Jaulen Ihrerseits eher deutlich, was Sie wollen, als ein gesprochenes Wort. Und ein gelegentliches Heulen signalisiert Ihrem Hund, dass Sie ihn zu schätzen wissen.

Auch wenn Hunde sich noch so viel Mühe geben, werden sie uns nie wirklich verstehen. Was sie von uns zu hören bekommen, sind in ihren Ohren diffuse Geräusche. Deshalb drehen manche Hundehalter den Spieß einfach um und bellen, knurren oder winseln, um sich mit ihren Vierbeinern zu verständigen.

Wir können wohl dennoch davon ausgehen, dass es ein Lexikon der Hundesprache so bald nicht geben wird – aus dem einfachen Grund, weil die Hundesprache sehr viel komplizierter ist als eine gewöhnliche Fremdsprache. Zum einen kommunizieren Hunde nicht sehr viel mit ihrer Stimme. Sie verlassen sich mehr auf die nonverbale Kommunikation: Haltung, Gesten und Geruch. Im Gegensatz zum Menschen haben Hunde kein bestimmtes Vokabular, und es gibt es kein Bellen, das für »nach draußen« oder »hol die Leine« steht. Außerdem können unsere Stimmbänder Laute von Hunden nur schwer nachahmen. Selbst wenn Sie knurrten, um Ihren Hund vom Sofa zu vertreiben, oder bellten, um seine Aufmerksamkeit zu erregen, würde Ihr Hund Sie nicht verstehen. Die Hunde würden uns vermutlich auslachen, wenn wir sie anbellten. Ihr Gehör ist so viel empfindlicher als das unsere, dass wir ihrem differenzierten Bellen gar nicht gerecht werden können.

Das bedeutet jedoch nicht, dass Hunde nicht reagieren, wenn wir ihr Gebell nachahmen. Sie bellen vielleicht zurück oder sehen uns zumindest einen Augenblick lang interessiert an – allerdings nicht deshalb, weil wir zufällig eine entzifferbare Botschaft übermittelt haben. Sie reagieren vielmehr auf unsere Körpersprache, unseren Tonfall und unsere Sympathiebekundungen. Eine Tierärztin berichtet, dass einige Leute in ihrem Bekanntenkreis zwar tatsächlich bellen, dies jedoch nicht sehr effektiv sei: »Wir sprechen die Hundesprache mit so einem grässlichen Akzent, dass wir ihre Sprache regelrecht verhunzen.«

Dieser Golden Retriever reagiert auf Tonfall und Körpersprache seiner Besitzerin. Manche Menschen versuchen es mit Bellen – das erregt zwar die Aufmerksamkeit des Hundes, bedeutet jedoch nicht viel.

Der Tonfall

Auch wenn Bellen, Jaulen, Heulen und Winseln die Hundeausbildung oder andere Formen nonverbaler Kommunikation niemals ersetzen können, gibt es Situationen, in denen die Hundesprache – sprechen Sie sie auch noch so schlecht – eine Botschaft übermittelt, die sonst nicht ankäme. Es geht nicht darum, bestimmte Formen des Bellens zu imitieren, sondern einen Tonfall und eine Modulation einzusetzen, auf die Hunde reagieren.

Knurren: Hunde, die böse sind, reagieren manchmal auf ein lang gezogenes, tiefes Knurren. Vor allem ranghohe Hunde knurren, wohingegen rangniedere Hunde weniger selbstbewusst sind. Daher setzen Hunde aus Erfahrung Knurren mit Führungsanspruch gleich.

Hunde heulen, um über weite Entfernungen zu kommunizieren, doch dieser Labradormischling und seine Besitzerin heulen nur aus Spaß.

Wenn Sie Ihrem Hund zeigen wollen, dass Sie der »Leithund« sind, stimmen Sie ein tiefes, wütendes Knurren an. Sie müssen aber nicht unbedingt knurren, um Ihr Ziel zu erreichen. Wenn Sie Ihre Stimme senken und ein lang gezogenes »heee« von sich geben, hat das den gleichen Effekt. Knurren Sie nicht zu oft. Hunde, die zu Aggressivität oder Dominanz neigen, empfinden ein Knurren als Bedrohung und reagieren ihrerseits mit Knurren oder Schlimmerem. Bei kleineren Problemen – z. B. beim Streit, wer auf dem Sofa sitzen darf – ist Knurren ebenfalls nicht angezeigt, es wäre zu streng.

Angemessen ist das Knurren jedoch bei Welpen. Sie wissen, dass sie ihrer Mutter und anderen Erwachsenen gehorchen müssen, und ein Knurren wird sofort verstanden.

Heulen: Früher, als Hunde noch weit entfernt voneinander lebten, war das Geheul vergleichbar mit Rauchzeichen. Experten sind sich nicht sicher, ob das Geheul tatsächlich etwas bedeutet, oder ob es lediglich ein geeignetes Mittel ist, um über weite Entfernungen den Kontakt aufrechtzuerhalten. Man hat noch nicht herausgefunden, ob man mit einem Heulen bei einem Hund mehr erreicht, als nur seine Aufmerksamkeit zu erregen. Doch Hunde schätzen ein Heulen von ihren Besitzern vielleicht trotzdem, weil sie den Versuch, gesellig sein zu wollen, anerkennen.

Jaulen: Welpen lernen bei kleinen Kampfspielen rasch, bei ihren Bissen vorsichtig zu sein, wenn ein anderes Mitglied des Wurfs aufjault. Durch das Jaulen begreift ein Welpe, dass er nicht zu fest zubeißen darf. Es signalisiert: »Halt, du tust mir weh!«

KAPITEL NEUN

WÖRTER, DIE JEDER HUND KENNEN SOLLTE

Das Sprachverständnis von Hunden ist begrenzt, dennoch können sie mehr lernen, als wir ihnen meist zutrauen.

Abgesehen von ihrem Namen und ein paar grundlegenden Befehlen sowie ein paar wirklich aufregenden Worten wie »Gassi« oder »Leckerchen«, sind die meisten Hunde verloren, wenn es um die menschliche Sprache geht. Es ist nicht so, dass Hunde nicht in der Lage wären, mehr Wörter zu lernen. Die meisten Hundebesitzer halten es jedoch nicht für so wichtig, dass ihre Vierbeiner viele Wörter lernen. Dabei hat es für beide Seiten Vorteile, wenn Sie Ihrem Hund eine Reihe von Befehlen beibringen.

Die Fähigkeit eines Hundes, Vokabeln zu lernen, ist unbegrenzt. Eine Hundeausbilderin berichtet von ihrer Hündin Ronja, einem Australischen Hirtenhund, der im Laufe von 13 Jahren über 150 Wörter gelernt hat. Wenn Ronja einen Wagen zog, verstand sie selbst Angaben wie »sachte ziehen«, »feste ziehen«, »nach links«, »nach rechts« und »umkehren«. »Da ich oft hinter ihr war, musste sie sich ganz auf meine Stimme und meine Worte verlassen«, berichtet die Ausbilderin.

Ronja konnte noch mehr als nur einen Wagen ziehen. Sie verstand auch Kommandos wie »Such die Autoschlüssel!«, »Bring den Schraubenzieher zu Paul!« und »Gib mir die Fernbedienung!«.

Mit Geduld kann man Hunden fast jedes Wort beibringen. Dieser Labrador weiß, was »Football« ist.

Die Grundbegriffe

Viele Hundehalter würden ihren Hunden nur zu gern mehr Wörter beibringen, doch beschränken sie sich meist auf bescheidene sechs

bis acht Begriffe. Welche Wörter Sie aussuchen, bestimmen Sie, doch jeder Hund sollte zumindest diese fünf Kommandos kennen: »Sitz!«, »Platz!«, »Komm!«, »Bei Fuß!« und »Aus!«.

Mit Hunden, die die wichtigsten Kommandos kennen, kommt man viel leichter zurecht. Die Tiere selbst fühlen sich sicherer, weil sie genau wissen, was Sie sagen, und sie werden Sie weniger häufig sofort überfallen, wenn Sie die Tür öffnen, oder Ihre Rufe ignorieren, wenn sie hinter einem Eichhörnchen herjagen.

Die Wörter selbst sind dabei gar nicht so wichtig, wenn sichergestellt ist, dass Ihr Hund Sie richtig versteht. So machte sich der Besitzer eines italienischen Restaurants den Spaß, verschiedene Nudelsorten als Kommandos zu verwenden: Lasagne bedeutete »Bei Fuß!«, Linguine hieß »Platz!«. Dieser Trick funktioniert prima, solange man nicht vergisst, welche Nudelsorte für welches Kommando steht.

Erweitertes Vokabular

Hunde sind aufmerksam und wollen gern gefallen. Sie lernen neue Wörter rasch, und viele Hundebesitzer finden Gefallen daran, ihrem Vierbeiner immer neue Ausdrücke beizubringen. Es ist angenehm, wenn ein Hund auf Kommando sitzt, doch es ist komisch, wenn er versteht, was »zum Abschied winken« bedeutet.

Es ist nicht schwierig, einem Hund Wörter beizubringen – solange Sie Geduld haben und sich die Zeit nehmen, einzelne Ausdrücke mit bestimmten Handlungen bzw. einem Verhalten unmissverständlich in Zusammenhang zu bringen. Hier ein paar Profi-Tipps für ein effektives Training:

Üben Sie, wenn Ihr Hund entspannt ist. Legen Sie eine Übungsstunde ein, wenn Ihr Hund entspannt, aber nicht müde ist, z. B. nach einem langen Spaziergang.

Belohnen Sie Ihren Hund. Beginnen Sie damit, dass Sie einen Gegenstand in der Hand halten, den Ihr Hund besonders mag. Das kann ein Hundekuchen, ein Tennisball oder etwas anderes sein. Setzen Sie die Belohnung so ein, dass Sie seine Aufmerksamkeit dorthin lenken, wo Sie sie haben wollen. Wenn Sie ihm z. B. beibringen wollen, die Fernbedienung zu holen, legen Sie sie vor ihn auf den Boden und halten Sie die Belohnung so, dass seine Nase nach unten zeigt, während Sie sagen: »Hol die Fernbedienung!« Wenn er an der Fernbedienung schnuppert oder ihr einen Stups gibt, loben Sie ihn und geben ihm die Belohnung. Das wiederholen Sie vier- oder fünfmal.

Mit einem erweiterten Vokabular genießen Hunde wie dieser Golden Retriever auch komplexere Aktivitäten wie etwa Agility-Übungen.

Extra-Anerkennung

Einigen Hunden fällt es leicht, neue Wörter zu lernen. Falls Ihr Hund ungewöhnlich begabt ist, versuchen Sie es doch mal mit folgenden Befehlen:

• *Kratz mir den Rücken:* Nichts hilft bei einem Juckreiz auf dem Rücken so gut wie eine Hundepfote. Ermuntern Sie Ihren Hund, auf Ihrem Rücken zu »scharren«, während Sie »kratz« sagen. Folgt er der Anweisung, belohnen Sie ihn mit einem Leckerli und einem Lob.

• *Bring den Müll raus:* Die meisten Hunde brauchen eine Aufgabe, und wer von uns bringt schon gern den Müll raus? Kaufen Sie Müllsäcke mit Schlaufe. Nehmen Sie ein Leckerli in die Hand und fordern Sie Ihren Hund auf, die Schlaufe zu packen, und loben Sie ihn dann. Sobald er das begriffen hat, begleiten Sie ihn zur Mülltonne und loben ihn dann noch mehr.

• *Such den Sportteil:* Die Rubriken einer Zeitung haben jeden Tag dieselbe Reihenfolge. Legen Sie die Teile in der richtigen Reihenfolge aus und zeigen Sie auf den Sportteil. Ihr Hund wird lernen, Politik und Wirtschaft zu ignorieren und gleich zum Sport zu greifen.

• *Such einen bestimmten Fernsehsender:* Ruhen Sie sich aus und lassen Sie Ihren Hund mal zappen. Fordern Sie ihn wieder mit einem Leckerli auf, mit der Pfote die Fernbedienung zu bedienen. Wenn er Glück hat und den richtigen Sender trifft, loben Sie ihn kräftig.

• *Sag ihnen, ich habe kein Interesse:* Wenn Ihr Hund auf Kommando anfängt zu bellen, können Sie sich damit hartnäckige Vertreter vom Hals halten. Auf S.117 können Sie nachlesen, wie Sie Ihrem Hund das Bellen beibringen.

• *Weck mich um 6 Uhr morgens:* Wer braucht einen Wecker, wenn er einen Hund hat, der ihm morgens das Gesicht leckt? Hunde haben einen eigenen Rhythmus und ihre innere Uhr sagt ihnen, wann sie aufwachen sollen. Wenn Sie Ihrem Hund ein Leckerli geben, wenn er ans Bett kommt und Ihnen das Gesicht leckt, ist die Wiederholung fast garantiert.

Sorgen Sie für Spaß. Hunde lernen am besten, wenn ihnen etwas Spaß macht, daher sollten Übungsstunden den Charakter eines Spiels haben und nicht in Arbeit ausarten. Solange Ihr Hund versteht, dass es Sie freut, wenn er etwas Bestimmtes tut, will er weitermachen.

Viel loben und Fehler ignorieren. Hunde lernen am besten, wenn sie dafür gelobt werden, dass sie etwas gut machen. Sie schalten ab, wenn sie bestraft werden, weil sie etwas falsch machen.

Bleiben Sie konsequent. Manche Hunde lernen schwierige Kommandos in ein paar Stunden, während andere Wochen dafür benötigen. Doch alle Hunde lernen am besten durch Wiederholungen. Wenn Sie die Kommandos ein paar Mal am Tag üben, wird das Tier bald die Wörter mit seinem Verhalten und sein Verhalten mit der Belohnung in Verbindung bringen. All das, wofür ein Hund konsequent belohnt wird, wird er auch konsequent tun.

DRITTER TEIL

KÖRPERSPRACHE RICHTIG DEUTEN

Hunde sind in erstaunlich hohem Maße auf Körpersprache angewiesen. Ihre Standposition, die Neigung ihres Kopfes, die Intensität des Blickkontakts, die Stellung ihrer Ohren und die Bewegungen ihrer Rute sprechen Bände. Sobald Sie mehr auf die Körpersprache Ihres Hundes achten, werden Sie besser verstehen, was er fühlt oder mitteilen will.

KAPITEL ZEHN

WAS DIE KÖRPERSPRACHE DES HUNDES IHNEN SAGT

Von lebhafter Mimik bis zu ausdrucksvollem Schwanzwedeln setzen Hunde ihre Körpersprache ein, um mit Menschen und anderen Hunden zu kommunizieren. Mit etwas Übung erkennt man auf einen Blick, was Hunde denken und fühlen.

Viele Menschen meinen, dass ein Hund nicht viel zu sagen hat, wenn er nicht gerade mit dem Schwanz wedelt. Doch Hunde setzen ihren ganzen Körper ein, um sich verständlich zu machen. Es lohnt, sich die Zeit zu nehmen und den Hund genau zu beobachten. Wenn Ihnen seine Signale vertraut sind, werden Sie ihn besser verstehen, und das wird das Zusammenleben mit ihm harmonischer machen.

Hunde setzen die Körpersprache ein, um ihre Gefühle und Wünsche zu vermitteln und deutlich zu machen, welchen Rang sie im Sozialgefüge einnehmen. Das Sozialgefüge eines Hundes, sein Rudel, bestand in freier Wildbahn einst aus anderen Hunden. Bei heutigen Haushunden dagegen gehören dazu in erster Linie die menschlichen Mitglieder der Familie. Auch wenn mit einem bestimmten Körperteil oft nur eine Bedeutung vermittelt wird so müssen Sie beachten, welche übrigen Zeichen noch zu erkennen sind, um die volle Bedeutung ermessen zu können. Wenn ein Hund sich z. B. hinkauert und dabei mit dem Schwanz wedelt, dann signalisiert sein Wedeln, dass er sich freut. Wenn er jedoch auf dem Rücken liegt, den Blick und den Kopf abgewandt und die Vorderpfoten an den Brustkorb gedrückt hat, dann bedeutet ein wedelnder Schwanz Unterwerfung und vermutlich ein wenig Angst, und der Hund will mit dieser Haltung sein Gegenüber beschwichtigen.

Hunde zeigen ihre Gefühle mit dem ganzen Körper – von der Zunge bis zur Schwanzspitze. Dieser Golden Retriever ist munter und aufmerksam.

DIE ZEICHEN RICHTIG DEUTEN

Wenn sich irgendwo auf der Welt Bergsteiger oder Skiläufer im Gebirge verirren oder unter einer Lawine begraben werden, kommen meist Such- und Rettungshunde zum Einsatz. Dabei sind es nicht die hervorragenden Sinne der Hunde allein, die helfen, Leben zu retten. Genauso wichtig sind auch die Hundeführer, die sich nahezu blind mit ihren Hunden verstehen müssen. In diesem Fall beobachtet und deutet der Mensch die Körpersprache des Hundes genauso aufmerksam wie der Hund die des Menschen.

»Die Hunde sind alle so ausgebildet, dass sie uns durch Bellen oder Graben aufmerksam machen, wenn sie etwas finden«, erklärt Toni Leitmair, der mit seiner Schäferhündin Trixi bei einer Hundestaffel der Tiroler Bergwacht arbeitet. Wenn die Teams stundenlang draußen waren und die Hunde erschöpft sind, müssen die Betreuer auch auf kleinste Hinweise Acht geben. Einige dieser Hinweise würden ungeübten Augen vermutlich entgehen, doch wenn Mensch und Hund so eng zusammenarbeiten, fallen dem Hundeführer auch minimale Veränderungen im Verhalten des Hundes auf: eine bestimmte Rutenstellung oder eine winzige Änderung der Nasenkrümmung z. B.

Ebenfalls sehr wichtig ist das Vertrauen. »Man muss seinem Hund zutrauen, dass er die Aufgabe bewältigt, die man ihm übertragen hat«, meint Paul Stoklos, der in Anchorage mit seinem Deutschen Schäferhund Arrow ein Team bildet. »Auch wenn man überzeugt ist, dass er in die falsche Richtung läuft, muss man ihm folgen.«

So fanden die beiden einmal einen Mann, der in der Wildnis von Alaska vermisst wurde. Die stundenlange Suche war ergebnislos verlaufen, bis Arrow sich plötzlich für einen alten Wildererpfad interessierte. Obwohl niemand glaubte, dass der Mann diesen Weg benutzt haben könnte, ließ Arrow sich nicht davon abbringen. Stoklos folgte ihm, bis sie nach einer Weile die Hilferufe des Mannes hörten. »Wenn ich Arrow nicht vertraut hätte, wäre dieser Mann heute wohl nicht mehr am Leben.«

Einigen Rassen gelingt es nicht so gut, sich verständlich zu machen. Mit der Rute können Hunde hervorragend Zeichen geben, daher sind alle Hunde ohne Rute im Nachteil. Rottweiler z. B. haben einen Stummelschwanz. Sie wurden außerdem auf breite Schultern und Imponiergehabe gezüchtet. Sie können nur schwer Unterwerfung zeigen, da sie sich nicht hinkauern und klein machen können.

Im Gegensatz zu ihren domestizierten Verwandten besitzen Wildhundrassen ein Fell und eine Färbung, die ihnen die Zeichensprache erleichtern: kurzes Fell, das ihre Körpersprache nicht verbirgt, borstiges Haar am Rücken, das sie sträuben können, eine ausgeprägte Zeichnung im Gesicht, die ihre Mimik unterstützt, einen weißen Bauch, der ihre unterwürfige Haltung betont, wenn sie auf dem Rücken liegen.

Gefühle erkennen

Die Mimik und Gestik eines Hundes, wie z. B. ein starrer Blick oder ein Stupsen, sind in der Regel leicht zu deuten und ermöglichen uns einen zuverlässigen Einblick in sein Gefühlsleben. Andere Gesten sind da nicht so eindeutig: wenn sie z. B. mit der Zunge

SCHON GEWUSST?

Können Hunde träumen?

Wenn ein schlafender Hund plötzlich laut aufjault und anfängt, auf der Stelle zu laufen, kann man ziemlich sicher sein, dass er gerade träumt. Ihren Bewegungen und ihrer Mimik nach scheinen Hunde von ihren Lieblingsaktivitäten zu träumen.

Es wird wahrscheinlich noch eine Weile dauern, bis Wissenschaftler genau wissen, wovon Hunde träumen. Ausgehend von dem Wissen, das Forscher von ihrem Wachzustand haben, gehen sie davon aus, dass Hunde von Gerüchen träumen, da der Geruchssinn am besten ausgeprägt ist. Für uns Menschen sind die Augen das wichtigste Sinnesorgan, und so haben wir visuelle Träume.

schnalzen, sich kratzen, sich schütteln oder gähnen. Je mehr Sie über die Körpersprache wissen, desto besser werden Sie verstehen, was Ihr Hund empfindet. Für Hunde ist Körpersprache etwas ganz Natürliches und Alltägliches. Sie überlegen nicht, was sie sagen und wie sie es sagen wollen. Ihre Körpersprache ist spontan und nahezu ständig im Einsatz.

Bobtails haben es schwer, eindeutige Botschaften zu übermitteln. Da ihr Fell weich ist, können sie es nicht sträuben, und ihre Augen sind unter dem Pony meist nicht zu sehen.

KÖRPERHALTUNGEN

Hunde machen sich fast ausschließlich durch Körpersprache verständlich. Einige ihrer Botschaften sind leichter zu verstehen als andere, doch mit ein wenig Übung werden Sie rasch alles, was Ihr Hund Ihnen »sagen« will, übersetzen können.

▶ Begrüßung

Wenn ein Hund seinen Besitzer oder einen anderen menschlichen Freund begrüßt, bellt er häufig freudig, wedelt mit erhobenem Schwanz und läuft auf den Betreffenden zu. Oft wird er seinen rangniederen Status dadurch zum Ausdruck bringen, dass er sich hinkauert, seinen Schwanz senkt oder sich auf den Rücken rollt.

Untereinander begrüßen sich Hunde anders. Sie nähern sich dem anderen von der Seite und beginnen einander zu umkreisen. Sie stehen dabei aufrecht, auf »Pfotenspitzen« da, haben die Ohren und die Rute aufrecht gestellt. Sie beschnuppern erst die Nase, dann das Hinterteil, um Informationen über Geschlecht, Rangordnung und Stimmung zu erhalten. Hunde, die sich schon kennen, beschnuppern sich nicht so lange. Wenn ein Hund dominanter ist, wird er sich größer machen, während der unterwürfige Hund sich kleiner zu machen scheint. Beim Versuch, die Oberhand zu gewinnen, legt ein Hund vielleicht seinen Kopf oder seine Pfote auf die Schulter des anderen.

Falls nicht von vornherein deutlich ist, welcher Hund der ranghöhere ist, drehen sich beide im Kreis umeinander und rempeln sich an, wobei einer versucht, sein Kinn auf die Schulter des anderen zu legen. Das dauert so lange, bis beide sich als ebenbürtig akzeptiert haben. Befreundete Hunde begrüßen sich mit raschen Bewegungen: Sie drehen sich im Kreis und springen aneinander hoch. Hunde, die sich lediglich kennen, beschnüffeln sich, und der rangniedere Hund nimmt eine unterwürfige Haltung ein. Manchmal leckt er das Maul des anderen und hebt in einer beschwichtigenden Geste eine Vorderpfote. Haben die Hunde ihren Rang gegenseitig anerkannt, beschnüffeln sie sich und springen aneinander hoch, bevor sie vergnügt miteinander spielen.

KÖRPERHALTUNGEN – FORTSETZUNG

▼ Glücklich, ruhig und entspannt

Wenn Hunde entspannt und zufrieden sind, strahlt ihr ganzer Körper Wohlbehagen aus. Entspannte Hunde stehen mit allen vier Beinen fest auf dem Boden. Wenn sie sitzen oder liegen, ist ihr ganzer Körper entspannt. Hunde mit aufgestellten Ohren lassen diese leicht nach außen sinken. Hunde mit Hängeohren lassen sie entspannt hängen oder die Spitzen nach vorn fallen.

Den Kopf halten sie auf einer bequemen Höhe, weder zu hoch noch zu niedrig. Das Maul ist an den Mundwinkeln entspannt und entweder geschlossen oder leicht geöffnet, als lächle der Hund. Mit dem Schwanz wedeln sie entweder langsam oder lassen ihn ruhen. Die Stellung der Rute hängt von der Rasse ab. Afghanen z. B. halten den Schwanz ruhig, wenn sie entspannt sind, wohingegen Foxterrier und Airedaleterrier ihn hoch aufrichten.

▶ Verspielt

Wenn Hunde mit ihren Besitzern spielen wollen oder einen anderen Hund zum Spielen auffordern, kauern sie sich mit der vorderen Körperhälfte auf den Boden. Ihr Hinterteil strecken sie in die Luft, als würden sie sich verbeugen. Dabei wedeln sie vor Vorfreude heftig mit dem Schwanz. Vielleicht senken sie auch den Kopf, wobei Maul und Lefzen entspannt sind, und hecheln. Manchmal geben sie auch ein hohes Bellen von sich.

Sie stellen munter die Ohren auf und richten sie nach vorn aus oder, wenn sie Hängeohren haben, richten sie so weit wie möglich nach oben und vorn. Wenn ihrer Aufforderung Folge geleistet wird, springen die Hunde auf und ab und bellen oft aufgeregt.

Sobald das Spiel in vollem Gange ist, bringt ihre Körpersprache, von den aufgestellten Ohren bis zur waagerecht getragenen Rute, ihre Freude zum Ausdruck.

◀ Interessiert und wachsam

Wenn Hunde sich aus einer ruhigen und entspannten Haltung heraus plötzlich für etwas interessieren, richten sich alle Körperteile auf und zeigen nach vorn. Sie heben den Kopf und stellen die Ohren auf und nach vorn. Sie lehnen sich leicht vor und öffnen manchmal leicht das Maul. Ihre Augen leuchten aufmerksam. Vielleicht heben sie auch eine Vorderpfote, als ob sie zur Tat schreiten wollen.

KÖRPERHALTUNGEN — FORTSETZUNG

◀ Gelangweilt

Hunden, die sich überwiegend in geschlossenen Räumen aufhalten und die keine geistige Anregung bekommen, wird schnell langweilig. Sie schauen desinteressiert und mürrisch drein, die Augenlider hängen herunter, und die Augen wirken glasig und ausdruckslos. Sie liegen normalerweise flach auf dem Boden, wobei ihr Kopf auf den Vorderpfoten ruht und ihre Rute kraftlos daliegt. Hunde schütteln jedoch Langeweile und gedrückte Stimmung schnell ab, sobald sie etwas zu tun bekommen, was sie interessiert oder ihnen Spaß macht.

▶ Aufgeregt

Hunde werden normalerweise ganz aufgeregt, wenn sie mit einem anderen Hund spielen, einen befreundeten Menschen begrüßen oder wenn es Zeit fürs Gassigehen beziehungsweise für ein Spiel ist. Aufgeregte Hunde springen oft herum oder zittern vor Aufregung und wedeln heftig mit dem Schwanz. Sie haben ihre Ohren vor Vorfreude nach vorn gerichtet oder ihre Augen funkeln fröhlich.

Wenn Hunde ihr Herrchen oder Frauchen begrüßen, laufen sie in der Regel mit erhobenem Kopf und wedelndem Schwanz auf sie zu und fangen an sie zu stupsen. Manchmal legen sie auch die Ohren an, nicht weil sie Angst haben, sondern weil sie zeigen wollen, dass sie sich ihrem Besitzer respektvoll unterwerfen.

▶ Traurig

Wenn ein Hund traurig ist, kann man das an seiner unterwürfigen Körperhaltung ablesen. Genau wie ein trauriger Mensch wirkt er durch und durch niedergeschlagen. Er lässt den Kopf hängen, und seine Rute hängt schlaff herunter.

Hunde sind selten traurig, es sei denn, sie werden über längere Zeit allein gelassen. Sobald man ihnen etwas Aufmerksamkeit widmet, mit ihnen übt oder ihnen geistige Anregung bietet, sind sie normalerweise schnell wieder entspannt und fröhlich.

▲ Anpirschen

Wenn Hunde sich für etwas interessieren und beschließen, dem Objekt nachzujagen, sich anzupirschen oder mit ihm zu spielen, senken sie leicht den Kopf, während sie es beobachten. Dieses Verhalten ist vor allem bei Jagdhunden sowie Schäfer- und Hütehunden verbreitet.

Während sie sich anpirschen, ducken sie sich mit der vorderen Körperhälfte nieder, wobei die hintere Hälfte oben bleibt. Die Beute beobachten sie mit starrem Blick. Selbst wenn sie still stehen, sind ihre Pfoten so ausgerichtet, dass sie im Notfall schnell losrennen können.-

KÖRPERHALTUNGEN — FORTSETZUNG

◀ Beschützend

Wenn Hunde das, was sie als ihr Eigentum betrachten, bewachen und beschützen wollen, erinnert ihre Körpersprache zunächst an die eines wachsamen und dominanten Hundes. Werden sie jedoch herausgefordert, fangen sie an, unmissverständliche aggressive Signale zu senden: Sie fletschen die Zähne, schieben den Kopf nach oben und vorn und starren ihr Gegenüber unerschrocken an, um zu zeigen, dass sie die Herausforderung annehmen und ihr gewachsen sind. Sie beugen sich nach vorn, um größer zu erscheinen, als sie in Wirklichkeit sind, und stemmen die Pfoten in den Boden, um ihre Standhaftigkeit deutlich zu machen.

▶ Aggressiv

Hunde, die aggressiv sind oder in die Offensive gehen, richten sich mit ihrem ganzen Körper auf und bewegen sich vorwärts, sodass sie größer, stärker und eindrucksvoller erscheinen. Sie beugen sich auf den Pfotenspitzen vor und sträuben ihr Fell – noch ein Mittel, um größer zu erscheinen. Die gesträubte Rute halten sie hoch aufgerichtet und bewegungslos. Die Ohren sind aufgestellt und zeigen nach vorn. Unter Umständen knurren die Hunde, ziehen die Nase kraus und die Mundwinkel nach vorn, die Lefzen sind dabei gespannt. Der Blick ist starr, direkt und unerbittlich. Wenn die Situation eskaliert, ziehen sie die Lefzen hoch und fletschen die Zähne. Außerdem spreizen sie ein wenig die Hinterbeine, damit sie notfalls bereit sind, hochzuspringen und zu kämpfen.

▶ Um Aufmerksamkeit betteln

Hunde sind sehr gesellig. Sie möchten, dass man sie berührt und mit ihnen spielt, und sie halten sich gern in der Nähe ihrer Besitzer auf. Sie genießen lange Spaziergänge, nicht nur wegen der Bewegung und der anregenden Anblicke und Gerüche, sondern auch wegen der menschlichen Begleitung. Und da Hunde so gesellig sind, verbringen sie relativ viel Zeit damit, bei ihren Besitzern um Aufmerksamkeit zu betteln.

Eine Pfote auf dem Knie kann die dominante Geste eines selbstbewussten Hundes oder die beschwichtigende Geste eines unterwürfigen Hundes sein, doch meist will ein Hund damit nur sagen: »Ich möchte etwas Aufmerksamkeit.« Vor einem Menschen mit der Pfote in der Luft zu scharren hat dieselbe Bedeutung, ebenso wenn der Hund seinen Kopf an der Handfläche des Betreffenden reibt oder sie an- stupst, oder wenn er sich aufrichtet und an dessen Bein lehnt.

Doch Hunde wenden noch andere Taktiken an, um Aufmerksamkeit zu erregen: Sie schieben die Zeitung oder das Buch beiseite, das der Betreffende gerade liest, sie stupsen ihn mit dem Kopf an, oder sie krabbeln geräuschvoll auf dem Fußboden herum, als ob sie scharren wollten.

KÖRPERHALTUNGEN – FORTSETZUNG

▼ Dominant

Dominante Hunde stehen hoch aufgerichtet da. Wenn Hunde einander begegnen, heben sie den Kopf und stellen die Rute auf. Sie machen sich größer, indem sie das Fell entlang der Wirbelsäule und auf den Schultern sträuben. Manchmal stellen sie sich auch auf die Spitzen ihrer Vorderpfoten und machen ein oder zwei kleine, steife Schritte nach vorn. Ihre Ohren zeigen so weit nach vorn und oben, wie es ihre Physiognomie erlaubt. Ein Hund legt unter Umständen seine Pfote auf die Schulter des anderen, um seiner dominanten Haltung Nachdruck zu verleihen. Zeigt der andere keine Anzeichen von Unterwerfung, kann sich das Kampfspiel zu einem echten Kampf entwickeln. Das Aufreiten oder andere augenscheinlich sexuelle Handlungen haben nicht unbedingt etwas mit dem Fortpflanzungstrieb zu tun. Ab und an besteigt ein Hund einen anderen, um so seine Dominanz zu demonstrieren. Das Geschlecht des anderen spielt dabei keine Rolle. Suchen sich Hunde für das Aufreiten ihren Besitzer aus (Beinklammern), zeugt dies von Respektlosigkeit oder Frustration. Oft springen Hunde zur Begrüßung an Menschen hoch und versuchen ihnen das Gesicht zu lecken. Hunde, die an ihren Besitzern hochspringen und dabei die Rute aufgerichtet und die Ohren aufgestellt haben, versuchen sie zu dominieren.

▶ Unterwürfig

Unterwürfige Hunde versuchen stets, sich kleiner zu machen, um ausdrücken: »Ich fordere dich nicht heraus, also bitte tu mir nichts.« Sie kauern sich mit gekrümmtem Rücken und eingezogenem Kopf an den Boden. Die Ohren sind angelegt und zeigen nach hinten, die Stirn ist glatt. Sie stellen keinen Blickkontakt her oder wenden den Blick sogar ab. Sie ziehen die Mundwinkel zurück und sehen so aus, als lächelten sie. Unter Umständen lecken sie sich auch die Nase. Der Schwanz hängt herunter und wird manchmal zwischen die Hinterbeine geklemmt. Die Schwanzspitze zuckt oder wedelt hin und her.

In Gegenwart eines dominanten Hundes lecken sie manchmal dessen Maul oder heben eine Vorderpfote, um zu zeigen, dass sie seinen höheren Rang anerkennen. Oder sie erkennen den Status quo dadurch an, dass sie ihre eigene Nase lecken und die Ohren entweder leicht oder ganz flach anlegen. Liegen die Ohren flach am Kopf an, akzeptieren sie eine Rüge, bewegen sie sich noch ein wenig vor und zurück oder ist ein Ohr höher als das andere, akzeptieren sie die Rüge nur widerstrebend. Sind sie vollkommen gehorsam, klemmen sie zusätzlich den Schwanz zwischen die Beine. Bei extremer Unterwürfigkeit legen sich Hunde hin, rollen sich auf den Rücken und entblößen ihren Bauch. Sie ziehen Beine und Pfoten eng an den Körper. Der Schwanz wird zwischen die Hinterbeine geklemmt und an den Bauch gezogen, wobei die Schwanzspitze vielleicht hin und her zuckt. Einige Hunde scheiden auch ein paar Tropfen Urin aus.

Nicht jedes unterwürfige Verhalten signalisiert zwingend Angst. Ein Hund entblößt vor seinem Besitzer seinen Bauch und wahrt lockeren Blickkontakt, der zeigt, dass er keine Angst hat: Diese Haltung zeugt von Ehrerbietung und Vertrauen. Vielleicht bettelt er aber auch nur darum, am Bauch gekrault zu werden.

KÖRPERHALTUNGEN – Fortsetzung

▼ Ängstlich

Hunde, die Angst haben, dies jedoch nicht mit Aggressivität wettmachen wollen, versuchen, sich kleiner zu machen, als sie in Wirklichkeit sind. Ängstliche Hunde senken den Kopf und legen die Ohren an. Sind sie sehr ängstlich, pressen sie die Ohren fest an den Kopf und wenden gewöhnlich den Blick von dem ab, was ihnen Angst macht. Die Pupillen sind dann verengt, und manchmal schließen sie bei dem Versuch, mit der Situation fertig zu werden, auch ganz die Augen. Den Fang halten sie vermutlich ebenfalls geschlossen. Die Haut am Maul ist unter Umständen gekräuselt, und die Mundwinkel sind angespannt nach hinten und unten gezogen.

Manchmal finden sich Hunde in Situationen wieder, in denen sie zwar Angst haben, jedoch meinen, etwas beschützen zu müssen – sich selbst, Menschen oder Besitz –, und sich daher der Bedrohung stellen wollen. Wenn das geschieht, vermittelt ihre Körpersprache sowohl Angst als auch Aggression. Sie machen sich mit angewinkelten Beinen kleiner und strecken den gesenkten Kopf nach vorn. Die Ohren sind angelegt und signalisieren Angst oder bewegen sich abwechselnd nach hinten und vorn, ein Zeichen für widersprüchliche Gefühle. Einige Hunden richten den Blick auf das, was ihnen Angst macht, andere sehen weg und wieder andere reißen die Augen weit auf. Sie fletschen die Zähne und legen ihr Maul in Falten – alles Zeichen für Aggression. Sie sträuben ihr Nackenhaar, und der Schwanz hängt herunter, ist aber auch gesträubt.

Einem in die Ecke gedrängten, ängstlichen Hund, dessen Körpersprache aggressiv wirkt, sollte man mit Vorsicht begegnen. Er schreckt nicht davor zurück, zuzubeißen.

▶ Unruhig und angespannt

Ein unruhiger Hund senkt den Kopf
und versucht, durch Hecheln seine Anspannung abzubauen. Die Pupillen sind
verengt und der Hund kann die Person
oder das Objekt, das ihm Stress bereitet, nicht ansehen.
Die Ohren hängen nach unten und hinten, die Lefzen sind nach
hinten gezogen und kräuseln sich an den Mundwinkeln. Der
Hund nimmt eine geduckte Haltung ein und klemmt den
Schwanz zwischen die Hinterbeine. Manchmal rollt er sich auf
den Rücken und entblößt den Bauch, vielleicht scheidet er auch
ein paar Tropfen Urin aus. Hunde, die stillsitzen und eine Pfote
in die Luft halten, sind meist verängstigt oder unruhig.

▼ Unruhe und Anspannung abbauen

An einigen Signalen ihrer Körpersprache kann
man erkennen, wie Hunde sich selbst, andere
Hunde oder Menschen, mit denen sie gerade
zu tun haben, beruhigen. Diese so genannten

Übersprunghandlungen scheinen nichts mit
dem zu tun zu haben, was gerade geschieht,
und sind mit dem abrupten Themenwechsel
bei einem Gespräch vergleichbar, den Menschen manchmal herbeiführen, wenn ein Streit
droht. Hunde beruhigen sich oft damit, dass
sie gähnen, mit der Zunge schnalzen, sich abwenden, den Blickkontakt abbrechen, schnüffeln, kratzen oder sich schütteln.

Um solche Übersprunghandlungen zu erkennen, muss man auf unvermittelte Bewegungen achten: wenn sich der Hund z. B.
während einer Erziehungsübung plötzlich am
Halsband kratzt. Wenn er keine Flöhe hat und
sich während der Übung auch sonst nicht ge-
kratzt hat, versucht er vermutlich, Stress abzubauen, und will sagen: »Ich brauche eine Pause,
ich kann mich nicht mehr konzentrieren.«

KAPITEL ELF

Was Ihre Körpersprache dem Hund sagt

Ein Hund beobachtet Menschen sehr viel genauer als die Menschen ihren Hund. Um Ihrem Hund nicht versehentlich eine falsche Botschaft zu übermitteln, müssen Sie unbedingt auf Ihre eigene Körpersprache achten.

Sie hatten einen schlechten Tag im Büro? Ihr Hund weiß Bescheid, sobald Sie zur Tür hereinkommen. So wie Sie an der Haltung und an den Schwanzbewegungen Ihres Hundes erkennen können, wie er sich fühlt, verrät Ihre Körpersprache – die Körperhaltung, die Gesten und Gesichtsausdrücke, die Sie unbewusst einnehmen – Ihrem Hund eine Menge über Ihre Gefühlslage und Ihre Absichten.

Einige Signale sind ziemlich offensichtlich. Wenn Sie in die Küche gehen oder die Leine in die Hand nehmen, weiß Ihr Hund sofort, was ihn Gutes erwartet. Doch Hunde haben einen unglaublichen Scharfblick. Dinge, die Menschen nie auffallen würden – eine winzige Änderung der Körperhaltung oder ein Zucken im Augenwinkel –, bemerken und analysieren sie sofort. Hunde erkennen auf den ersten Blick, ob Sie glücklich oder traurig, zum Spielen aufgelegt sind oder sich über etwas ärgern.

Menschen verfügen über ein umfangreiches Vokabular. Für Hunde sind die meisten Lautäußerungen des Menschen jedoch unverständlich, folglich messen sie den Körpersignalen große Bedeutung zu. Hunde stellen sich so sehr auf die Körpersprache des Menschen ein, dass

Die Besitzerin dieses Labradors imitiert die Spielverbeugung eines Hundes. Er erkennt sofort, dass sie mit ihm spielen will.

sie oft Botschaften empfangen, die wir gar nicht beabsichtigt hatten. Viele Missverständnisse ließen sich vermeiden, wenn Menschen ein wenig mehr auf die Signale achten würden, die sie aussenden.

Eine typische Szene: Sie hocken auf allen vieren und suchen nach einem heruntergefallenen Knopf oder einer Schraube, und Ihr Hund tötet Ihnen den Nerv, indem er an Ihrem Rücken hochspringt, im Kreis rennt oder wie verrückt bellt. Nach Spielen ist Ihnen aber gerade nicht, also schnauzen Sie ihn an und schieben ihn von sich, worauf Ihr Hund sich enttäuscht fortstiehlt. Er hat Sie falsch verstanden. Wenn ein Hund mit einem anderen spielen möchte, kniet er sich oft mit dem Vorderkörper auf den Boden und streckt den Schwanz in die Luft. Das nennt man eine Spielverbeugung, und Ihr Hund hat genau diese Haltung bei Ihnen wahrgenommen.

Ein weiteres Beispiel: Wenn Menschen am Telefon ein unangenehmes Gespräch führen, wird ihre Stimme häufig ein wenig rau, oder sie atmen schwer oder flach. Hunde erkennen diese Anzeichen von Stress und reagieren darauf manchmal selbst ein wenig angespannt, vor allem wenn sie glauben, dass sie der Grund für die Anspannung ihres Besitzers sind. Geschieht dies mehrfach, assoziieren sie irgendwann das Telefon selbst mit dieser Anspannung und reagieren jedes Mal ganz aufgeregt, wenn ihr Besitzer den Hörer abnimmt.

Es ist unsinnig sich ständig Gedanken zu machen, wie Ihr Hund Ihre Mimik oder Gestik interpretiert. Die meisten Hunde verkraften ein kleines Missverständnis problemlos. Es hat in der Regel keine langfristigen Auswirkungen. Wenn Sie jedoch den Verdacht haben, dass sich das Verhal-

ten Ihres Hundes verändert hat und Sie der Grund dafür sind, sollten Sie überlegen, welche Signale Sie ausgesendet haben. Sie müssen Ihrem Hund ein Feedback geben, wenn Sie glauben, dass er Ihre Körpersprache falsch verstanden hat. Sonst reagiert er weiterhin so, wie er es beim ersten Eindruck getan hat.

Kommissar Rex

HUNDEGESCHICHTEN

Es gibt nur wenig Hunde, die besser ausgebildet und abgerichtet sind als Polizeihunde. Der beliebteste Polizeihund ist der Deutsche Schäferhund, daneben werden auch Rottweiler, Dobermann und Weimaraner eingesetzt.

Diese Hunde sind nicht nur aufgrund ihrer intensiven Ausbildung bei ihrer Arbeit so erfolgreich, sie stellen sich auch in besonderem Maße auf ihren Besitzer, beziehungsweise ihren Hundeführer, ein. Oftmals leben die Hunde ständig bei dem Hundeführer, der mit ihnen arbeitet. Das sorgt für eine besonders enge Beziehung zwischen dem Hund und seinem Ausbilder.

Ein Polizist aus dem Ruhrgebiet berichtet von seinem Schäferhund Hasso: »Normalerweise benimmt er sich wie jeder andere Hund, doch er merkt an meiner Körperhaltung und der Art, wie ich Auto fahre, ganz genau, wenn irgendetwas Ungewöhnliches anliegt. Er sieht starr geradeaus, versteift sich ein wenig und stellt aufmerksam die Ohren auf.«

Hasso spürt auch, ob die Begegnung seines Herrchens mit anderen Menschen freundlicher Natur ist oder nicht. »Er erkennt an meinem Verhalten, ob er sich Sorgen machen muss oder nicht«, erklärt der Polizist. »Er weiß, dass es in Ordnung ist, wenn jemand mir die Hand gibt oder auf den Rücken klopft. Doch als ich bei einem Verdächtigen einmal Rauschgift entdeckte und der mich bei der Festnahme wegschubsen wollte, kam Hasso sofort aus dem Auto gestürzt und hat ihn sich geschnappt.«

Wie Hunde uns verstehen lernen

So wie Kinder schnell lernen, bestimmte Signale ihrer Eltern zu verstehen, so wissen Hunde von Anfang an, dass es klug ist, ihre Besitzer zu beobachten. Schließlich stellen sie das Futter bereit. Sie haben auch die Kontrolle über die Tür, die nach draußen führt, und sind diejenigen, die entscheiden, wann es Zeit ist, zu spielen oder ernst zu sein. Hunde haben es gern, wenn ihr Leben vorhersehbar ist, und es gibt keine bessere Methode herauszufinden, was als Nächstes kommt, als die stummen Signale von Herrchen oder Frauchen zu beachten. Mit der Zeit wissen Hunde erstaunlich genau, wie sie diese Zeichen interpretieren müssen, und ahnen mit schlafwandlerischer Sicherheit, was kommt. In einigen Fällen wissen sie sogar noch vor Ihnen, was Sie als Nächstes tun werden.

Da diese Art von Gedankenübertragung die Bindung zwischen Mensch und Haustier nur stärken kann, sollten Sie Ihren Hund nach Möglichkeit darin bestärken. Das nächste Mal, wenn Ihr Hund Ihnen rasch aus dem Weg geht, wenn Sie auch nur die kleinste Bewegung in seine Richtung machen, sollten Sie ihn für sein zuvorkommendes Verhalten belohnen. Das wird ihn ermutigen, Sie weiter zu beobachten. Er wird seine Beobachtungsgabe weiter trainieren und nur noch selten überrascht reagieren.

Das Beobachten ist für Hunde ganz natürlich. Sie lebten früher in großen Gruppen, in Meuten oder Rudeln. Dabei war es für jeden Hund eines Rudels wichtig zu wissen, was die anderen gerade taten und was deren Verhalten

zu bedeuten hatte. Hunde haben in den paar tausend Jahren ihrer Domestikation zweifellos viele der einst lebenswichtigen Instinkte verloren – die Beobachtungsgabe zählt jedoch nicht dazu, denn diese Fähigkeit ist ihnen auch heute noch von großem Nutzen.

Körpersprache effektiv einsetzen

Hunde werden weder die menschliche Sprache noch die Zeichensprache richtig lernen, und Menschen werden die Körpersprache nie so gut beherrschen wie Hunde. Doch im Allgemeinen ist es gar nicht so schwer, Körpersprache, Gestik und Mimik so einzusetzen, dass Sie Ihre Botschaften ein wenig deutlicher vermitteln können oder zumindest lernen, Signale zu vermeiden, die Ihr Hund mit Sicherheit missversteht.

Haltung

Menschen, die mit zurückgezogenen Schultern und erhobenem Kopf dastehen, teilen der Welt stillschweigend mit: »Ich bin selbstsicher.« Selbstbewusste und zuversichtliche Menschen werden von anderen respektiert, auch von Hunden.

Gesellt sich zu einer selbstbewussten Haltung noch ein forscher, selbstsicherer Gang, gehen Hunde rasch davon aus, dass die betreffende Person mächtig ist, das Kommando hat und sich um alles kümmern wird. Sie reagieren darauf sofort, weil sie selbstbewusste Hunde kennen – die unter ihresgleichen einen hohen Status genießen und sich ebenso verhalten.

Dieser Golden Retriever genießt es, von seinem Besitzer am Kopf gekrault zu werden. Bei einem Fremden wäre ihm das vielleicht unangenehm.

Arm- und Handbewegungen

Menschen bewegen oft Arme und Hände, wenn sie reden oder aufgeregt sind, und wir verstehen, was jede der Gesten zu bedeuten hat. Wenn Sie beispielsweise mit hoch erhobenem Arm auf einen anderen zugehen, wird der Betroffene sich bedroht fühlen. Tun Sie es dagegen mit weit ausgebreiteten Armen, wirken Sie freundlich und herzlich. Hunde reagieren auf beide Arten von Gesten ähnlich wie Menschen. Ihnen missfällt es, wenn jemand, den sie nicht kennen, die Hand nach ihnen ausstreckt und sie am Kopf krault. Unter Hunden gilt es als Provokation, die Pfote nach unten auszustrecken, denn das ist eine Aufforderung zum Kampf. Ausgebreitete Arme ähneln hingegen der Position, die Hunde einnehmen, wenn sie spielen wollen oder sich entspannen: auf dem Rücken liegen und alle viere von sich gestreckt haben.

Schnelle Handbewegungen können Hunde erschrecken oder verärgern. Früher war etwas, das sich rasch bewegte, entweder eine potenzielle Beute oder ein Aggressor. Daher sind Hunde sofort auf der Hut, wenn wir rasche Bewegungen machen. Sie reagieren viel entspannter, wenn wir unsere Hände langsam und vorsichtig bewegen.

Einige Menschen reagieren ein wenig überschwänglich, wenn sie Hunde begrüßen, die sie nicht kennen. Sie strecken ihnen die Hände entgegen, damit sie daran riechen können, oder wedeln mit den Armen, um zu zeigen, dass sie freundlich und gut gelaunt sind. An den Bewegungen selbst ist nichts auszusetzen, doch die Schnelligkeit und Heftigkeit, mit der sie ausgeführt werden, sind problematisch. Hunde sind in Gegenwart von Fremden von Natur aus ein

Dieser Collie betrachtet die ausgebreiteten Arme seiner Besitzerin als herzliche Begrüßung und kommt daher auf Kommando bereitwillig zu ihr.

funden haben, was los ist. Sie fühlen sich sehr viel wohler, wenn ihre Besitzer langsam mit solch ungewohnten Tätigkeiten beginnen.

wenig nervös, und hektische Bewegungen werden von Hunden oft als Bedrohung verstanden, auf die sie entsprechend reagieren.

Schnelle oder abrupte Bewegungen

Wenn zwei Hunde sich für eine Konfrontation bereitmachen, erstarren sie und richten sich auf, eventuelle Bewegungen sind abrupt und nervös. Hunde spüren anhand unserer Bewegungen, wenn etwas ungewöhnlich oder Besorgnis erregend ist, sagt die Verhaltensforschung. Wenn jemand an der Haustür ist und man sich abrupt bewegt, weil man sich unbehaglich fühlt, spüren Hund dies und gehen automatisch davon aus, dass etwas nicht stimmt. Bewegt man sich jedoch langsam, wissen sie, dass man ruhig und entspannt ist, woraufhin sie sich ebenfalls entspannen.

Jeder Hund reagiert – je nach seiner Rasse und seinem Temperament – anders, dennoch werden die meisten Hunde erschrecken, wenn ihr Besitzer plötzlich mit sportlichen Übungen beginnt oder einen Ringkampf mit jemand anderem vollführt. Viele Hunde fühlen sich bedroht und werden unruhig, bis sie herausge-

Mimik

Glückliche Hunde haben ebenso wie glückliche Menschen eine glatte Stirn und sehen andere entspannt an. Wütende Hunde runzeln wie wütende Menschen auch die Stirn und starren andere entschlossen und unnachgiebig an. Doch hier enden die Gemeinsamkeiten. Das Lächeln eines Menschen und das Lächeln eines Hundes unterscheiden sich deutlich voneinander.

Menschen lächeln, wenn sie glücklich sind. Hunde hingegen lächeln – vielleicht sollte man eher sagen grinsen –, wenn sie Angst haben. Sie ziehen die Lefzen hoch und zeigen ihre Zähne, was sehr bedrohlich aussieht. Damit versuchen sie alles, was ihnen Angst einjagt, abzuschrecken. Ausbilder empfehlen, den Mund geschlossen zu halten oder zumindest nicht zu viele Zähne zu zeigen, wenn Sie einen fremden Hund begrüßen, der angespannt wirkt. Wenn Sie lächeln, könnte dieser Hund denken, dass Sie eine Bedrohung darstellen, und aggressiv reagieren.

Die meisten Hunde lernen rasch, dass ein menschliches Lächeln etwas Gutes ist. Die Körpersprache, die mit dem Lächeln einhergeht, hilft ihnen, das zu begreifen, und sie lernen, positiv darauf zu reagieren. Wenn ein Hund unsicher ist und Sie ihn anlächeln, wird er bald verstehen, dass Sie gutheißen, was er gerade tut.

Sich bewegen wie ein Hund

Wenn Sie erst einmal ein paar Jahre mit Ihrem Hund verbracht haben, wird Ihnen beiden die Körpersprache des anderen ziemlich vertraut sein, und Missverständnisse werden seltener. Taucht jedoch ein neuer oder fremder Hund auf, wird Ihre Körpersprache, die für Ihren eigenen Hund Bände spricht, Verwirrung, ausdruckslose Blicke oder Schlimmeres hervorrufen. Es lohnt sich, ein paar Begriffe der universellen Hundesprache zu lernen, um das Kennenlernen freundlicher zu gestalten.

AUFMERKSAMKEIT LERNEN

Man kann jeden Hund zu mehr Aufmerksamkeit erziehen. Bei Hütehunden ist das meist nicht notwendig, doch die meisten anderen Hunde lassen sich leicht ablenken. Eine Methode, sie aufmerksam zu machen, arbeitet mit dem Kommando »Sieh mich an!«.

1 Nehmen Sie ein Leckerli in die Hand. Sorgen Sie dafür, dass Ihr Hund vor Ihnen sitzt, und lassen Sie ihn daran schnüffeln. Sagen Sie: »Sieh mich an!«, und heben Sie das Leckerli in Richtung Ihres Kinns. Achten Sie auf seine Augen, während sein Blick das Leckerli verfolgt.

2 Wenn seine Augen zu Ihrem Gesicht huschen, sagen Sie: »Guter Hund, sich mich an!«, und geben ihm das Leckerli. Üben Sie zwei- oder dreimal und machen Sie dann eine Pause. Wiederholen Sie die Übung mehrmals. Macht er Fortschritte, lassen Sie ihn länger Ihr Gesicht beobachten. Wenn Sie ihm danach etwas Neues beibringen wollen, benutzen Sie wieder das Kommando »Sieh mich an!«, um sicher zu gehen, dass er aufpasst.

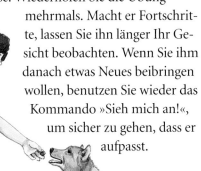

Begeben Sie sich auf die Höhe Ihres Hundes. Da Hunde sich manchmal größer machen, indem sie die Beine durchdrücken und den Hals nach oben recken, um andere Hunde einzuschüchtern, gehen sie davon aus, dass Menschen es genauso machen, und sind verletzt, wenn Sie sich ihnen nähern und sie dabei überragen. Ein Hund schätzt eine freundliche Begrüßung, bei der Sie sich auf seine Höhe begeben, indem Sie sich hinknien oder bücken. Je tiefer Sie sich herablassen, desto größer kommt sich ein Hund vor, außerdem fühlt er sich dann weniger bedroht. Wenn Sie ihm dann Ihre Hand entgegenstrecken, kann er kurz daran schnuppern, ohne Ihnen dabei zu nahe zu kommen. Hunde beschnuppern einen Fremden, um herauszufinden, was für ein Mensch er ist.

Vorsicht mit starrem Blickkontakt. Hunde haben nichts dagegen, ihren Besitzern in die Augen zu sehen, doch ein direkter, starrer Blick von einem Fremden wird als beleidigend und aggressiv gewertet. Es ist in Ordnung, einem fremden Hund in die Augen zu sehen, um zu erkennen, wie er reagiert, doch sehen Sie ihn nicht länger als eine Sekunde an. (Wenn ein Hund knurrt oder auf andere Weise aggressiv reagiert, sollten Sie den Blickkontakt ganz meiden.) Es ist besser, den Blick abzuwenden, wenn Sie ihm das erste Mal begegnen. Wenn er versucht, Blickkontakt herzustellen, können Sie den Blick senken und ihm damit signalisieren: »Ich bin keine Bedrohung, also entspann dich.«

Nähern Sie sich von der Seite. Hunde begrüßen einander, indem sie gegenseitig ihr Hinterteil beschnuppern. Diese Begrüßung wollen Sie sicher nicht imitieren, doch wenn Sie sich von der Seite nä-

hern, wird dies dem Hund ebenfalls gefallen. Gehen Sie geradewegs auf ihn zu, fühlt er sich unter Umständen unbehaglich und missversteht Ihre freundliche Begrüßung als Bedrohung.

Lassen Sie Ihre schlechte Laune im Büro. Ein schlechter Arbeitstag kommt hin und wieder vor, doch wenn Sie sich aufregen, überträgt sich das auch auf Ihren Hund. Wenn Sie ruckartig die Tür öffnen und wütend ins Haus stapfen, spürt Ihr Hund den Stress sofort. Wahrscheinlich wird er sogar annehmen, dass Sie auf ihn böse sind. Niemand kann sich zu guter Laune zwingen, aber vielleicht nehmen Sie sich vor der Haustür kurz Zeit und stellen sich Ihre Heimkehr aus der Perspektive Ihres Hundes vor.

Die Besitzerin dieses Labradormischlings versucht, ihre Sorgen nicht mit nach Hause zu nehmen, um ihren Vierbeiner herzlich begrüßen zu können.

KAPITEL ZWÖLF

DAS GESICHT

Hunde können kein fröhliches Gesicht machen, wenn sie traurig sind. Ebenso wenig können sie an ihrem artspezifischen Aussehen etwas ändern. Ihnen ist daher leicht anzusehen, was sie gerade fühlen.

Bis zu einem gewissen Grad können wir die Gefühlslage anderer Menschen an ihrem Gesichtsausdruck ablesen. Doch Menschen sind in der Lage, ihre Gefühle zu verbergen, und ihr Gesichtsausdruck spiegelt oft nicht ihre wahren Empfindungen wider. Bei Hunden ist es meist deutlich zu sehen, ob sie glücklich oder traurig, wütend oder zufrieden sind. Doch auch wenn sie nichts vortäuschen und sich nicht verstellen können, stiftet ihr Aussehen, das sich von Rasse zu Rasse und individuell unterscheidet, manchmal Verwirrung. An Fellzeichnung und -farbe, an der Form des Kopfes oder der Augen kann ein Hund nichts ändern. Da Menschen mit diesem unveränderlichen Aussehen jedoch bestimmte Gefühlslagen assoziieren, kommt es gelegentlich zu Missverständnissen.

Viele Hundebesitzer entscheiden sich für einen Hund einer bestimmten Rasse, weil sie von seinem Aussehen auf einen bestimmten Charakter schließen. Einige wollen einen fröhlichen Hund und wählen daher einen Golden Retriever, weil er immer glücklich aussieht. Labrador-Retriever, Alaskan Malamutes und Samojeden scheinen ebenfalls immer einen fröhlichen Gesichtsausdruck zu haben.

Andere Hunderassen vermitteln da einen anderen Eindruck. Australische Hirtenhunde und

Alles an dem Gesicht dieses Golden Retriever drückt aus, dass er keinerlei Sorgen hat.

Border Collies haben Stehohren und einen intensiven Blick. Daher glauben die meisten Menschen, dass sie stets in Alarmbereitschaft und voller Tatendrang sind. Boxer wirken mit ihrem kurzen Fang, der schwarzen Zeichnung im Gesicht und den großen Augen ängstlich oder eifrig. Auch wenn es bei vielen Rassen tatsächlich Übereinstimmungen zwischen äußerlichen Merkmalen und dem Charakter gibt, so ist das Bild nie vollständig.

Die Kopfhaltung und die Stellung der Ohren gehen mit dem Gesichtsausdruck eines Hundes einher und helfen uns, Rückschlüsse auf seinen Gemütszustand zu ziehen. Wenn Hunde etwas hören oder sehen, was für sie ungewöhnlich ist, stellen sie die Ohren auf, bewegen sie vor und zurück und legen den Kopf auf die Seite. In Verbindung mit ihrem aufmerksamen Blick erscheint ihr Gesichtsausdruck noch neugieriger. Es gibt dabei aber viele Nuancen: das Zucken eines Ohrs, das Hochziehen der Lefzen, die Neigung des Kopfes oder das Stirnrunzeln – alles hat etwas zu bedeuten.

Rassemerkmale

Nicht alle Hunde können sich mittels ihrer Mimik gleichermaßen leicht und deutlich verständlich machen. Manchmal hindert sie der Körperbau oder andere rassenspezifische Merkmale daran. Zu fast jedem Gesichtsausdruck gehört z. B. eine Bewegung des Fangs oder der Lippen. Einige Rassen, die dicke hängende Oberlippen, so genannte Lefzen, besitzen – wie z. B. Bloodhounds – haben damit Schwierigkeiten. Sie können zwar die Zähne fletschen, indem sie ihre Lippen nach hinten ziehen, eine Mimik, die subtilere Lippenbewegungen (vor allem am Mundwinkel) verlangt, ist für sie jedoch unmöglich. Selbst wenn ihnen einige dieser Bewegungen gelingen, sind sie für den Beobachter kaum zu erkennen. Beruhigende

Verschleierte Emotionen

Der Gesichtsausdruck von Hunden mit kurzem Fell ist meist leicht zu deuten. Andere Rassen wie Bobtails oder der Lhasa Apso (unten) haben jedoch ein langes Fell, das ihre Mimik verbirgt. Der vielleicht haarigste Hund ist der Puli, ein ungarischer Hirtenhund, dessen Fell in langen Kordeln bis auf den Boden hängt. Wie geben diese Hunde zu erkennen, was sie fühlen? Vielen von ihnen, so auch dem Malteser und dem Shih-Tzu, wird das Haar zusammengebunden, damit es ihnen nicht in die Augen fällt. Pulis mögen allerdings kein direktes Sonnenlicht auf den Augen. Glücklicherweise sind ihre Augen und ihr charakteristisches, fröhliches Gesicht auch durch die Haarkordeln hindurch sichtbar. Und da die lebhaften Pulis meist übermütig in der Gegend herumspringen, gibt ihr Haar ohnehin ab und zu ihr Gesicht frei.

Gesten wie das Lecken sind besonders schwer auszumachen. Außerdem haben Hunde mit langen Lefzen Schwierigkeiten, die Oberlippe hochzuziehen und so einen Gesichtsausdruck anzunehmen, den Menschen als glücklich betrachten. Daher nehmen wir oft zu Unrecht an, dass diese Hunde traurig sind.

Wenn einem Hund nur ein kleines mimisches Repertoire zur Verfügung steht, ist es besonders wichtig, seine Körpersprache insgesamt zu beobachten. Das gilt z. B. für Shar Peis. Züchtungsbedingt haben sie ein fleischigeres Gesicht als andere Rassen, und die vielen Falten und Runzeln eines Shar Peis schränken Lippenbewegungen und das Krausziehen von Schnauze, Stirn und Augenbrauen stark ein.

Auch das Fell kann den Gesichtsausdruck eines Hundes verdecken. Bobtails haben ein dichtes Fell und zottiges Haar im Gesicht, wodurch kaum eine Regung zu sehen ist. Bei ihnen, wie auch bei anderen langhaarigen Hunden, muss man auf die Bewegungen des Deckhaars achten. Bewegt sich das Haar über den Augen oder um den Mund herum, verändert er seinen Gesichtsausdruck. Das kann man zum Anlass nehmen, verstärkt auf die übrige Körpersprache zu achten.

SCHON GEWUSST?

Lächelt Ihr Hund?

Das Lächeln eines Hundes ist nicht vergleichbar mit dem des Menschen. Einige Hunde grinsen manchmal unterwürfig, und dann ist dieses Grinsen eigentlich ein Zähnefletschen. Einige Hunde fletschen die Zähne, um starke Gefühle auszudrücken – normalerweise Aggressionen, doch oft auch Glück und Erregung. Dieser Gesichtsausdruck scheint nur bei einigen Rassen vorzukommen und lässt sich vor allem bei Australischen Schäferhunden, Zwergpinschern, Dalmatinern und Border Collies beobachten.

Um ein Zähnefletschen nicht als Grinsen misszuverstehen, sollte man auch die übrige Körpersprache eines Hundes beachten. Ein Hund, der tatsächlich »lächelt«, wedelt mit dem Schwanz, ein zähnefletschender Hund ist insgesamt angespannt und aggressiv.

Versteht man, was ein bestimmter Gesichtsausdruck bedeutet, kann man diese Information mit dem in Verbindung bringen, was einem der übrige Körper sagt. Auf diese Weise erhält man ein umfassendes Bild von dem, was ein Hund mitzuteilen versucht.

Abzeichen und Farbe

Einige Rassen wie Zwergpinscher, Australischer Schäferhund, Berner Sennenhund, Rottweiler oder Japan-Chin haben auffällige Abzeichen, die die Aufmerksamkeit des Betrachters auf bestimmte Gesichtszüge lenken. Braune Abzeichen über den Augen und dunkle Lippen bei einer weißen Schnauze betonen den Gesichtsausdruck.

Stellen Sie sich einen Hund mit weißer Schnauze und schwarzen Lippen sowie weißem Fell rund um die Augen vor, vielleicht mit ein wenig Braun über oder neben den Augen. Fletscht der Hund die Zähne – indem er die Lippen nach oben zieht, die Nase kräuselt und die Stirn in Falten legt –, dann unterstreicht seine Farbgebung dies. Seine schwarzen Lippen kontrastieren mit der weißen Schnauze, und die weißen Zähne werden durch die schwarzen Lippen betont. Die helleren Farben rund um die Augen und die braunen Abzeichen an der Stelle, wo sonst Augenbrauen sitzen würden, intensivieren seinen Blick noch.

Selbst reinweiße Rassen wie Samojeden oder Pyrenäenhunde oder Rassen mit hellem Fell wie Alaskan Malamutes haben oft dunkel geränderte Augen, schwarze Nasen und schwarze Lippen, die ihren Gesichtsausdruck besser sichtbar machen.

Charakteristische Gesichtszüge

Die Gesichtszüge eines Hundes ergeben ein Gesamtbild, dessen Botschaft leicht zu verstehen ist, wenn man weiß, worauf man achten muss.

Die Ohren. Hunde haben bewegliche Ohren, die sie drehen, anlegen oder nach vorn richten können. Diese Beweglichkeit macht Ohren sehr ausdrucksvoll. Zeigen die Ohren eines Hundes nach vorn, ist er wachsam, zeigen sie nach hinten, ist er entspannt. Nach vorn gerichtete, aufgestellte Ohren signalisieren Aggressivität. Eng nach hinten angelegte Ohren deuten auf Angst oder Aggressionsbereitschaft hin.

Die Augen. Ein sanfter und liebevoller Blick ist ein Zeichen für Zuneigung und Vertrauen. Ein direkter, neugieriger Blick signalisiert Interesse und Wachsamkeit. Ein seitwärts gerichteter Blick bedeutet Unterwerfung oder Unsicherheit. Mit schnellem Blinzeln reagiert ein Hund auf Stress und versucht sich dadurch zu beruhigen. Ein direkter, starrer Blick soll Dominanz oder Aggression vermitteln.

Wenn die weiße Lederhaut eines Hundeauges sichtbar wird, muss man die übrige Körpersprache in Betracht ziehen, um den Grund dafür zu erfahren. Wenn ein Hund Angst hat und seine Ohren weit nach hinten gezogen sind, liegt es eher an der gedehnten Haut, dass die Lederhaut sichtbar wird. Liegt der Hund jedoch auf dem Rücken, um sich am Bauch kraulen zu lassen, ist das Weiße im Auge sichtbar, weil die Schwerkraft seine Augenlider nach unten zieht.

Die Stirn. Ist die Haut auf der Stirn eines Hundes entspannt, so ist er selbst es auch. Ist sie glatt und nach hinten gezogen, bedeutet dies, dass seine Ohren nach unten und hinten gezogen wurden, weil er Angst hat oder vielleicht aggressiv ist. Ein Hund, der unruhig ist, legt seine Stirn über den Augen in Falten.

Das Maul (Der Fang). Ein teilweise geöffnetes Maul steht bei vielen Hunden für Entspannung oder auch Freude. Ein hechelnder Hund kann nervös oder angespannt sein, vielleicht ist ihm aber auch nur heiß. Leckt er einen anderen Hund, einen Menschen oder seine eigene Schnauze, begrüßt er den anderen oder unterwirft sich seinem Gegenüber. Klappert ein Hund mit den Zähnen, ist ihm nicht kalt, er signalisiert vielmehr Vorfreude.

Die Lippen. Entspannte Lippen deuten auf einen entspannten Hund hin. Ein aggressiver Hund zieht seine Lippen straff nach hinten und fletscht die Zähne. Ein angespannter Hund zieht seine Lippen weit nach hinten und kräuselt die Mundwinkel. Bei vielen Hunden kontrastieren schwarze Lippen mit der Farbe der Schnauze, was ihre Mimik unterstreicht und die Größe und weiße Färbung ihrer Zähne betont.

Die kontrastreiche Zeichnung dieses Berner Sennenhundes mit braunen Abzeichen, schwarzen Lippen und weißem Fang lenkt die Aufmerksamkeit auf sein Gesicht. Man erkennt leicht, was er fühlt.

Verschiedene Gesichtsausdrücke

Sie können Ihrem Hund leicht am Gesicht ablesen, was er fühlt, wenn Sie die Feinheiten seines Gesichtsausdrucks kennen. Diese Informationen ergeben zusammen mit den Botschaften, die sein übriger Körper vermittelt, ein genaues Bild dessen, was Ihr Hund denkt.

◀ Entspannt, glücklich und behaglich
Dieser Gesichtsausdruck gefällt jedem, und meistens sehen Hunde ja auch ziemlich zufrieden aus. Ein Hund, der sich wohl und sorgenfrei fühlt, am Kamin oder auf der Terrasse liegt, wirkt heiter und gelassen. Seine Stirn ist glatt und sein Fang geschlossen oder entspannt geöffnet, wobei die Zunge schlaff heraushängt.

Verspielt
Wenn ein Hund möchte, dass jemand mit ihm herumtollt, ist ihm das deutlich anzusehen. Ein zum Spielen aufgelegter Hund reißt die Augen auf, stellt die Ohren auf oder legt sie an und hechelt oder sabbert. Er sieht dann aus wie ein Welpe.

▶ Freudige Begrüßung
Ein Hund, der seinen Besitzer oder einen anderen menschlichen Freund freudig begrüßt, oder auch ein Welpe, der einem freundlichen älteren Hund Hallo sagt, öffnet leicht seinen Fang, streckt rasch seine Zunge heraus und zieht sie wieder zurück. Unter Umständen versucht er, die Person oder den Hund zu lecken, was eindeutig ein Zeichen für Respekt und Zuneigung darstellt, oder aber er leckt seine eigenen Mundwinkel.

VERSCHIEDENE GESICHTSAUSDRÜCKE – FORTSETZUNG

▶ Unterwürfig und besorgt

Ein Hund, der unterwürfig oder besorgt ist, schaut das, was ihm Sorge bereitet, meist nicht an. Wahrscheinlich wendet er den Blick ab. Damit will er sagen: »Beachte mich nicht, ich bin keine Bedrohung.« Sein Fang ist in der Regel geschlossen, doch manchmal steht er offen, und die Zunge ist zu sehen. Sie zuckt zwischen den Vorderzähnen hin und her, was ein Zeichen von Nervosität oder Ängstlichkeit ist. Vielleicht versucht er es auch mit Lecken – eine Beschwichtigungsgeste, die signalisiert, dass er den ranghöheren Status des anderen respektiert.

◀ Interessiert und neugierig

Wird das Interesse eines Hundes geweckt, richtet sich alles in seinem Gesicht auf und ein wenig nach vorn. Ein neugieriger Hund richtet seine Ohren auf das Objekt seiner Neugier aus und schnuppert in der Luft, weil er herausfinden möchte, um was es sich bei dem ungewohnten Geruch handelt. Vielleicht stupst er es mit der Schnauze an, wobei sein Fang geschlossen ist, es sei denn, es ist ein heißer Tag. In dem Fall hat er seinen Fang den ganzen Tag geöffnet. Seine Stirn ist meistens glatt, eventuell ganz leicht gekräuselt.

Wenn ein Hund sich an das, was seine Aufmerksamkeit erregt hat, heranpirscht, ist alles an seinem Gesicht aufgerichtet, aufmerksam und nach vorn gewandt.

◀ Besorgt oder angespannt

Besorgte oder angespannte Hunde haben verengte Pupillen, einen geöffneten Fang sowie weit nach hinten gezogene Lippen, die sich am Mundwinkel kräuseln. Eventuell hecheln sie auch, was ebenfalls ein Zeichen für Stress ist.

Ängstlich

Ängstliche Hunde ziehen sich nicht nur körperlich zurück. Sie legen die Ohren fest nach hinten an den Kopf an und ziehen die Lippen nach hinten und unten. Normalerweise senken sie auch den Kopf und wenden den Blick von dem ab, was ihnen Angst macht.

▶ Wachsam und aufmerksam

Wachsame, aufmerksame Hunde tun das Gegenteil von dem, was ängstliche Hunde tun. Ihre Gesichtszüge richten sich auf und nach vorn, damit sie gut beobachten können, was ihr Interesse geweckt hat. Ihre Blicke sind durchdringend, wobei sie vor lauter Konzentration sogar die Stirn runzeln. Die Haut um die Augen ist eventuell gekräuselt, ihr Fang leicht geöffnet. Die Nasenspitze zuckt, und die Halsmuskeln sind angespannt.

VERSCHIEDENE GESICHTSAUSDRÜCKE – FORTSETZUNG

▶ Aggressiv

Ein aggressiver Gesichtsausdruck ähnelt zu Anfang dem eines wachsamen Hundes. Wenn ein Hund glaubt, dass er aggressiv werden muss, verzerrt sich seine Mimik zusehends. Zunächst zieht er seitlich die Lefzen hoch, um seine scharfen Zähne zu zeigen. Wenn er dann der Meinung ist, dass die Situation eine noch strengere Warnung verlangt, zieht er die Lefzen ganz hoch und fletscht seine Zähne. Seine Stirn legt sich in Falten, und die Haut um die Augen ist gekräuselt. Dann öffnet er den Fang und fängt an zu knurren oder zu bellen. Er zieht auch die Haut über der Nase kraus – manchmal verändert dabei die ganze Schnauze ihre Form.

◀ Widersprüchliche Gefühle

Manchmal sind auch Hunde verwirrt. Wenn ein Hund einerseits etwas beschützen will und andererseits ein wenig Angst hat, wie es bei einem schüchternen Hund der Fall sein kann, wenn sich ein Fremder seinem Territorium nähert, spiegelt sein Gesichtsausdruck diesen Konflikt wider. Seine Ohren können gleichzeitig halb aufgestellt sein, was Kühnheit signalisiert, und angelegt sein, was auf Angst hindeutet. Manchmal bewegen sich die Ohren zwischen diesen beiden Extremen hin und her und machen seine Verwirrung offenkundig. Während er die Lippen hochzieht und Zähne zeigt – ein Zeichen von Aggression –, signalisiert er vielleicht auch Furcht, indem er die Lippen zurückzieht und die Mundwinkel kräuselt. Wenn er die Zähne fletscht, öffnet er seinen Fang, doch nicht auf angespannte, aggressive Weise, sondern eher wie ein aufgeregter Wclpe.

KAPITEL DREIZEHN

DIE AUGEN

Hunde sehen die Welt nicht mit den Augen des Menschen,
doch sind ihre Augen ebenso ausdrucksvoll wie unsere. Sie können einem
Hund vieles, was er denkt, an den Augen ablesen.

Das Sehen ist der Sinn, auf den wir Menschen uns am meisten verlassen. Für Hunde hingegen ist das Sehen nicht ganz so wichtig. Sie lassen sich damit höchstens bestätigen, was ihre anderen Sinne ihnen mitteilen. Hunde hören z. B., wie sich das Auto ihres Besitzers nähert, und laufen zum Gartentor. Das Geräusch ist ihnen vertraut, und dass sie das Auto sehen, bestätigt ihnen nur, was sie bereits wussten. Das Gleiche ist beim Geruch der Fall. Hunde riechen etwas und wissen, dass der Geruch z. B. von einem Eichhörnchen stammt, und folgen der Spur. Wenn sie auf gleicher Höhe mit dem Eichhörnchen sind, liefert ihnen der Anblick keine neuen Informationen, sondern bestätigt nur, was die Nase bereits erraten hatte.

Wenn Sie mit Hunden kommunizieren wollen, müssen Sie wissen, wie deren Sehvermögen funktioniert und wie sie es einsetzen. Sobald Sie das wissen, werden Sie sich auch visuell so mit ihnen verständigen können, dass die Hunde Sie verstehen. Denn wenn Ihr Hund Sie bislang missversteht, liegt das unter Umständen einfach daran, dass er die Dinge nicht so sieht wie Sie.

SCHON GEWUSST?

Warum leuchten seine Augen im Dunkeln?

Scheint das Licht einer Taschenlampe oder der Autoscheinwerfer im Dunkeln einem Hund ins Gesicht, leuchten seine Augen. Das tun sie deshalb, weil bei Hundeaugen hinter der Netzhaut eine Schicht liegt, die mit wissenschaftlichem Namen Tapetum lucidum heißt. Diese zusätzliche, reflektierende Zellschicht ermöglicht es dem Auge, alles verfügbare Licht zu absorbieren. Diese Schicht ist beim Hund grünlich gelb gefärbt – in ebenjener Farbe, die bei Nacht und plötzlichem Lichteinfall sichtbar wird.

Die Sehkraft des Hundes

Hundeaugen reagieren empfindlicher auf Licht und Bewegung als die Augen des Menschen, doch sehen sie nicht so scharf. Hunde erkennen auch in der Dämmerung jede kleinste Bewegung, übersehen jedoch bei Tageslicht manchmal den Ball, der dicht vor ihnen liegt. Selbst bunte Bälle, die sich gut von der Umgebung abheben, erkennen sie nicht, weil die Farbwahrnehmung bei Hunden schlecht ist.

Menschen und Hunde besitzen unterschiedlich viele Sinneszellen – die so genannten Stäbchen und Zapfen – im Auge. Stäbchenzellen sind lichtempfindliche Zellen, nehmen jedoch nur Schwarz und Weiß wahr. Hunde haben mehr Stäbchenzellen als Menschen, was bedeutet, dass sie bei wenig Licht besser sehen können als wir. Das geht auf die Zeit vor der Domestikation zurück. Ihre Beute, wie zum Beispiel Wild, ist in der Dämmerung am aktivsten, also mussten wilde Hunde auch bei wenig Licht gut sehen können, um überhaupt etwas zu fressen zu bekommen. Zapfenzellen hingegen werden benötigt, um bei Tageslicht gut sehen zu können und Farben zu unterscheiden. Davon haben Hunde weniger als Menschen.

Früher nahmen Wissenschaftler an, dass Hunde die Welt in Schwarz-Weiß und unterschiedlichen Graustufen sahen, doch heute geht man davon aus, dass Hunde eine gewisse Farbwahrnehmung haben. Im Alltag spielt es für sie jedoch keine so große Rolle, Farben erkennen zu können, schließlich haben sie Tausende von Jahren auch so überlebt.

RASSENSPEZIFISCHES

Greyhound, Whippet, Saluki und Barsoi sind sichtjagende Hunde, die, wie der Name schon sagt, eher auf Sicht als nach Geruch jagen. Sie bewegen sich gern und rennen der davonlaufenden Beute hinterher. Sie haben eine bessere Fernsicht als andere Hunde und beobachten die Beute während der Jagd.

Für Hunde ist es wichtiger, Bewegungen zu erkennen. Als Hunde noch Jäger waren, erregten Bewegungen ihre Aufmerksamkeit, weil sie bedeuteten, dass etwas zu fressen in erreichbarer Nähe war. Heute müssen Hunde nicht mehr nach Beute jagen, doch die Fähigkeiten und Instinkte ihrer Vorfahren haben sie sich bewahrt.

Das Gesichtsfeld ist bei Hunden ebenfalls größer als beim Menschen, weil bei Hunden die

FARBKOMBINATIONEN

Die meisten Hunde haben unterschiedlich braun gefärbte Augen, doch auch andere Farben und Farbkombinationen sind möglich. Einige Hunde haben ein blaues und ein braunes Auge oder ein braunes und ein halb braunes, halb blaues Auge. Dies kommt beim Sibirischen Husky, Dalmatiner, Australischen Schäferhund und Collie sowie bei anderen Rassen mit weißem oder Blue-Merle-Fell vor. Hunden mit blauen Augen fehlt eine Pigmentschicht in der Iris. Die blaue Farbe wirkt sonderbar und macht die Augen lichtempfindlicher, hat aber keine Auswirkungen auf die Sehkraft. Hunde mit blauen Augen sind aber oft schon bei Geburt taub: Dieselben Gene, die blaue Augen und weißes oder Blue-Merle-Fell hervorbringen, können auch für Taubheit sorgen.

Augen weiter auseinander stehen. Hunde können also zu beiden Seiten mehr sehen. Ihr Gesichtsfeld reicht von 190 Grad bei Hunden mit flachen Gesichtern, wie z. B. Pekinesen, bis zu 270 Grad beim Greyhound (zum Vergleich: Beim Menschen sind es 180 Grad). Die Größe der Augen variiert bei den unterschiedlichen Rassen nur wenig. Bei einem Chihuahua z. B. ist der Augapfel nur um elf Prozent kleiner als bei einem Mastiff. Das ist der Grund, warum die Augen bei Schoßhunden oft hervorquellen.

Einige Rassen neigen eher zu Augenproblemen als andere. Collies und Shelties werden aufgrund genetischer Veränderung manchmal blind geboren. Rassen mit hervorstehenden Augen leiden hin und wieder unter einer Trübung oder Entzündung der Hornhaut.

Trainierter Ungehorsam

HUNDEGESCHICHTEN

Blindenhunde werden so abgerichtet, dass sie blinden Menschen auf alle erdenkliche Weise helfen. Sie begleiten sie in öffentlichen Verkehrsmitteln und führen sie sicher durch Menschenmengen. Doch manchmal ist auch das wichtig, was diese Hunde nicht tun. Jim Hughes, ein Geschichtslehrer aus dem Staat New York, verdankt seinem Blindenhund Ronny sein Leben. Jim ging mit Ronny über eine Baustelle. Plötzlich blieb Ronny stehen und weigerte sich, trotz Jims zunehmend wütender Kommandos weiterzugehen. »Er ging einfach nicht weiter, so als wollte er sagen: ›Nein, ich will nicht‹«, erzählte Jim später. Schließlich streckte Jim vorsichtig einen Fuß nach vorn – unter ihm das Nichts. Der Grund für Ronnys Weigerung war klar: Wenn er Jim gehorcht hätte, wären sie in eine tiefe Grube gefallen. Ronnys gutes Urteilsvermögen hat Jim vor schweren Verletzungen bewahrt. Dieser »Ungehorsamkeitsfaktor« zählt zu den wichtigsten Aspekten in der Ausbildung von Blindenhunden.

Die Bedeutung von Blickkontakt

Hunde verständigen sich mit Blicken. Versucht z. B. ein Hund, sich Freiheiten herauszunehmen und den Knochen oder das Spielzeug eines anderen zu stehlen, wird dieser ihm mit einem langen Starren begegnen. Das Anstarren wird als Drohung eingesetzt, der potenzielle Dieb erkennt die Gefahr und zieht sich zurück.

Ein Starren hilft auch, das Gesicht zu wahren. Beim Spielen kann sich ein Hund auf den Rücken rollen – normalerweise eine unterwürfige Haltung – und trotzdem direkten Blickkontakt zu dem Hund herstellen, der über ihm steht, und damit zeigen, dass er kein Feigling ist.

Zwischen Menschen und Hunden stellt ein Blickkontakt normalerweise keine Herausforderung oder Drohung dar. Hunde gewöhnen sich daran, dass Menschen sie direkt anschauen, und erkennen, dass sie in der Regel freundliche Absichten haben. Wenn Hunde Menschen nicht aus den Augen lassen, machen sie meist nur Spaß oder wollen sie zum Spielen auffordern.

Ein weiteres visuelles Kommunikationsmittel bei Hunden ist das Blinzeln. Wenn Hunde einander das erste Mal begegnen, blinzeln sie manchmal übertrieben. Das heißt nicht, dass sie abgelenkt sind oder kein Interesse haben. Damit wollen sie in diesem Fall ausdrücken, dass die Situation nicht problematisch oder bedrohlich ist.

Augen und Gefühle

Indem man Hunden in die Augen schaut, erfährt man eine Menge über das, was Hunde denken und fühlen. Mit den Augen drücken sie Liebe und Zufriedenheit, Angst und Wut aus. So schauen Hunde am häufigsten drein:

▶ Direkter Blickkontakt

Hunde, die Sie lebhaft und aufmerksam anschauen, sind glücklich und selbstbewusst. Die Haut um ihre Augen herum ist dabei glatt und weist lediglich an den äußeren Augenwinkeln ein paar kleine Fältchen auf. So sehen Hunde aus, wenn sie jemanden begrüßen oder ihn zum Spielen einladen wollen, oder aber wenn ihr Besitzer ihnen einen großen Wunsch erfüllt hat – z. B. ihnen erlaubt hat, sich auf dem Bett einzukuscheln.

▼ Starrer Blick

Hunde starren etwas an, das sie genauer beobachten wollen, wie z. B. eine vorwitzige Katze. Wenn sie aktiv werden wollen, senken sie leicht den Kopf und blinzeln kurz. Es ist derselbe Gesichtsausdruck, den Wölfe an den Tag legen, wenn sie darauf warten, dass ihre Beute ein Zeichen von Schwäche zeigt. Hirten schätzen diesen Blick bei Hirten- und Hütehunden.

Hunde schauen auch dann so drein, wenn sie defensiv, bedroht oder aggressiv sind. Sie ziehen die Augenbrauen hoch, und die Haut über den Augen kräuselt sich ein wenig. Je nachdem, was sie sonst noch fühlen, legt sich auch die Stirn in Falten. Sind sie aggressiv und zugleich ein wenig ängstlich, werden diese Falten sehr tief. Einige Hunde sehen so aus, wenn der Staubsauger aus dem Schrank hervorgeholt wird, als wollten sie fragen: »Bist du Freund oder Feind?«

◀ Abgewandter Blick

Indem Hunde Blickkontakt meiden oder wegschauen, versuchen sie den Frieden zu wahren. Damit signalisieren schüchterne oder unterwürfige Hunde: »Ich will keinen Ärger machen. Ich weiß, du bist der Boss.« Hunde sehen so aus, wenn sie auf andere, dominantere Hunde treffen oder wenn sie meinen, das Missfallen ihres Besitzers erregt zu haben.

Unauffälliger starrer Blick

Manchmal ist ein starrer Blick kein Zeichen von Aggressivität. Hunde, die etwas anstarren und sich große Mühe geben, das nicht zu zeigen, und deren Augen halb geschlossen sind, führen etwas im Schilde. Wenn sie auf dem Boden liegen und zu schlafen scheinen, beobachten sie vermutlich die Katze, wollen sie jedoch im Glauben lassen, dass sie schlafen. Sobald die Katze ihnen den Rücken zudreht, springen sie auf, in der Hoffnung, sie in ein Spiel zu verwickeln.

◀ Blick von der Seite

Hunde werfen einen Blick aus dem Augenwinkel, wenn sie schüchtern sind oder jemanden zum Spielen auffordern. Damit drücken sie höflich ihr Interesse aus, ohne aufdringlich zu sein.

79

Augen und Gefühle – Fortsetzung

◀ Weit aufgerissene Augen

Weit aufgerissene Augen signalisieren Erstaunen und Überraschung, mitunter auch Furcht. Manchmal erschreckt einen Hund ein plötzliches Geräusch, woraufhin er sich umdreht und mit aufgerissenen Augen auf die Ursache des Geräusches starrt. Hunde, die Angst haben, öffnen manchmal die Augen so weit, dass die weiße Lederhaut sichtbar wird.

Ausdrucksloser, starrer Blick

An dem ausdruckslosen, starren Blick eines Hundes muss man nicht lange herumrätseln: Er signalisiert Langeweile. Wenn Hunde wach sind und die Augen geöffnet haben, aber geistig abwesend zu sein scheinen, sind sie zu Tode gelangweilt. Das kann vorkommen, wenn Hunde gezwungen sind, sich zu beherrschen – wenn z. B. ihre Besitzer ihnen gesagt haben, sie sollen still sitzen bleiben, während sie mit einem Nachbarn reden. In solchen Fällen gehorchen Hunde ihren Besitzern, doch mit einem ausdruckslosen, starren Blick bringen sie deutlich ihre Langeweile zum Ausdruck.

▶ Zusammengekniffene oder halb geschlossene Augen

Hunde, die glücklich und entspannt sind, kneifen die Augen zusammen oder schließen sie halb. So sehen Hunde aus, wenn sie etwas genießen, wenn sie beispielsweise am Bauch gekrault oder ausgiebig von ihrem Besitzer gestreichelt werden. Die halb geschlossenen Augen vermitteln unmissverständlich ein absolutes Wonnegefühl.

KAPITEL VIERZEHN

DIE OHREN

Hunde benutzen ihre Ohren nicht nur zum Hören. Ihre Ohren sind beweglich und ausdrucksvoll, und Hunde drücken mit ihrer Hilfe Menschen und anderen Hunden gegenüber ihre Gefühle aus.

Hunde haben ein ausgezeichnetes Gehör, was zum Teil daran liegt, dass ihre Ohren so beweglich sind. Die Ohren, die von bis zu fünfzehn verschiedenen Muskeln bewegt werden, können zucken, sich drehen, sich aufstellen und sich nach hinten legen. Diese Flexibilität ermöglicht es Hunden, das leiseste Geräusch aufzufangen und die Richtung, aus der es kommt, zu lokalisieren. Gleichzeitig bringen die Bewegungen ihrer Ohren ihre Stimmungen und Absichten zum Ausdruck, so wie unsere Mimik und Gestik für andere deutlich macht, was wir empfinden.

An den Bewegungen der Ohren allein lässt sich allerdings nicht ablesen, was Hunde gerade fühlen. Man muss die Hundeohren im Zusammenhang mit anderen Aspekten der Körpersprache sehen, z. B. mit der Körperhaltung oder der Rutenstellung. Das gilt vor allem dann, wenn man mit Hunden zu tun hat, die keine so ausdrucksvollen Ohren haben, weil sie z. B. kupiert oder sehr lang sind. Hunde mit kupierten Ohren sind in der Auswahl der Signale, die sie vermitteln können, eingeschränkt. Sie sollen grimmig und stoisch wirken und damit den Anschein erwecken, dass sie bei einem Kampf keinen Schmerz zeigen oder gar zurückstecken werden.

KUPIERTE OHREN

Boxern, Doggen (unten), Schnauzern und anderen Rassen wurden früher die Ohren kupiert. Von Natur aus haben diese Rassen Hänge- oder Kippohren, die erst durch das Kupieren zu Stehohren werden. Das macht aus einem sanft aussehenden ein aggressiv wirkendes Tier, auf das Menschen und Hunde ganz anders reagieren. Kupierte Ohren vermitteln anderen Hunden eine falsche Botschaft. Die betroffenen Hunde können auch nicht die ganze Bandbreite an Gefühlen vermitteln, weil sie ständig aggressiv wirken. In Deutschland ist das Kupieren seit 1987 laut Tierschutzgesetz verboten.

Jede Ohrstellung sollte danach beurteilt werden, wie der betreffende Hund seine Ohren normalerweise hält, wenn er entspannt ist. Auch hier gilt: Hunde mit stark kupierten Ohren lassen sich nur schwer einschätzen.

Einige Hunde können aufgrund ihrer Ohrform bestimmte Emotionen besser ausdrücken. So besitzt ein Deutscher Schäferhund z. B. so genannte natürliche Stehohren (zugespitzte Stehohren), die ihn immer aufmerksam und wachsam erscheinen lassen, selbst wenn er sich nur beiläufig umschaut oder vom Abendessen träumt. Ist ein Schäferhund besonders konzentriert und wachsam, stellt er seine Ohren noch mehr auf.

Ein Basset hingegen ist vielleicht genauso aufmerksam wie ein Deutscher Schäferhund, kann dies jedoch nicht mit der gleichen Überzeugungskraft vermitteln. Seine schweren Hängeohren sind dafür einfach nicht geschaffen.

Wenn man Hunde beobachtet, um zu deuten, was ihre Ohren mitteilen, muss man auch die verschiedenen Ohrtypen berücksichtigen. Außerdem sollte man genau hinschauen, um die Ohrensprache richtig zu interpretieren. Einige der Botschaften sind mitunter sehr subtil, und Stellungen, die einander ähneln, können unterschiedliche Bedeutung haben.

RASSENSPEZIFISCHES

Bei einigen langhaarigen Hunderassen, zu denen Cockerspaniel, Pudel, Schnauzer und Lhasa Apso zählen, sind die Ohren auch innen behaart. Haare und Ohrenschmalz bilden hin und wieder einen festen Pfropf, der den Gehörgang verstopft. Hängeohren sind besonders anfällig, weil die Luft darunter nicht genügend zirkulieren kann. In den Ohren bildet sich oft Feuchtigkeit – ein idealer Nährboden für Pilze und Bakterien. In Hängeohren verfangen sich auch leicht Grassamen. Vor allem für Cockerspaniels ist dies ein Problem, manchmal müssen bei ihnen Grassamen operativ entfernt werden. Rassen mit Klappohren, die gern im Wasser spielen, wie Labrador-Retriever, Golden Retriever und Chesapeake-Bay-Retriever, neigen besonders zu Ohrproblemen, vor allem wenn ihre Besitzer die Gehörgänge ihrer Tiere nicht sauber und trocken halten. Rassen mit Kippohren haben andere Probleme. Ihre Ohren scheinen das bevorzugte Ziel von stechenden Insekten zu sein. Außerdem neigen sie zu Hämatomen und erleiden leicht einen Sonnenbrand.

Schmetterlingsohr
Chinese Crested

Kippohr
*Foxterrier
(Drahthaar)*

Kleine Ohren-Typologie

Selbst wenn Sie nichts über die Deutung von Hundeohren wissen, ziehen Sie aus der Form und Stellung der Ohren automatisch Rückschlüsse auf den Charakter und das Temperament des Hundes. Hunde mit Stehohren wie Corgis und Alaskan Malamutes wirken aufmerksam und intelligent. Hunde mit Kippohren wie Collies, Shelties und Foxterrier sehen ebenfalls aufmerksam aus, wirken jedoch freundlicher als Hunde mit spitzen Stehohren. Und Hunde mit Hängeohren wie Bassets, Beagles, Afghanen und Labradore wirken sehr freundlich und friedlich. Zu diesen Hunden fühlen sich Menschen hingezogen, weil die Hängeohren ihnen ein fügsames, anziehendes Aussehen verleihen.

Leider vermitteln ausgeprägte Ohrformen dem Menschen manchmal falsche Botschaften. Bassets z. B. haben meist eine lebhafte, gesellige Natur, doch ihre Ohren verleihen ihnen ein trauriges Aussehen. Cockerspaniels hingegen haben lange, dicht behaarte Ohren, die sie sanft erscheinen lassen, dabei neigen sie zu Reizbarkeit. Huskys haben spitze Stehohren, die zusammen mit ihrem wolfsähnlichen Erscheinungsbild ihrem freundlichen, oft fügsamen Wesen nicht entsprechen.

SCHON GEWUSST?

Warum haben einige Hunde Klappohren?

Menschenohren haben überwiegend dieselbe Form und Größe, doch bei Hunden findet man erstaunlich viele unterschiedliche Ohrformen, die von den adretten Kippohren der Samojeden bis zu den langen Hängeohren der Bloodhounds reichen. Doch das war nicht immer so. Hunde stammen von Wölfen ab, und Wölfe haben keine Hängeohren. Warum haben sich also bei einigen Rassen Klappohren herausgebildet? Die Antwort lautet: durch Züchtung. Spürhunde wie Beagles und Bloodhounds wurden so gezüchtet, dass sie allein nach Geruch jagen. Ihre langen Ohren unterstützen sie dabei, indem sie auf dem Boden entlangschleifen und Luftströme aufwirbeln, die wiederum Geruchsmoleküle freisetzen. Ein weiterer Grund für die Züchtung von Hunden mit Klappohren besteht darin, dass vielen Leuten das fügsame und unterwürfige Aussehen von langen Ohren gefällt. Lange Ohren bedeuten für das Gesicht eines Hundes, was langes Haar für das Gesicht des Menschen bedeutet: Sie lassen das Gesicht weicher und menschlicher aussehen.

Hängeohr
Saluki

Rosenohr
Whippet

Stehohr
Alaskan Malamute

OHRSTELLUNGEN

Auch wenn Hundeohren in allen möglichen Formen und Größen vorkommen, bewegen alle Hunde sie auf dieselbe Art und Weise, um zu vermitteln, was sie denken und fühlen. Wenn Sie die Ohrbewegungen im Zusammenhang mit dem betrachten, was Ihnen der übrige Körper sagt, erfahren Sie ziemlich genau, was in Ihrem Hund vorgeht.

▶ Neutral

Jeder Hund, ob er nun kleine oder große Ohren, Stehohren oder Hängeohren hat, kennt eine neutrale Ohrposition, die zeigt, dass er entspannt ist und an nichts Besonderes denkt. Die Haut am Ohransatz ist glatt, weil er keine Anstrengungen macht, Muskeln zu bewegen. Glückliche Hunde halten die Ohren meist in der neutralen Position.

◀ Aufgestellt

Hunde, die durch etwas, was sie sehen oder hören, aufmerksam werden, stellen sofort die Ohren auf und richten sie dorthin aus, wo sie den Ursprung ihres Interesses vermuten. Hunde, die aggressiv werden, spitzen ebenfalls die Ohren. Am leichtesten ist dies bei Hunden mit Stehohren zu erkennen, wie z. B. beim Deutschen Schäferhund. Hunde, die wie Greyhound und Labrador Kippohren oder Hängeohren haben, können ihre Ohren nicht richtig aufstellen – bei ihnen ist diese Reaktion also schwerer zu erkennen. Bei Hunden mit Klappohren sollte man die Ohrspitzen beobachten. Sie stellen die Ohren in Richtung oberes Kopfende auf, wenn sie aufgeregt sind oder irgendetwas ihr Interesse geweckt hat.

Die Spannung in den Ohren eines Hundes sagt etwas über die Intensität seiner Gefühle aus. Die Ohren eines aggressiven Hundes sind angespannter als die eines verspielten, aufmerksamen Hundes.

◄ Nach unten und hinten angelegt

Wenn bei einem Hund die Muskeln an Stirn und Schädel ange-spannt sind und er die Ohren nach hinten und unten angelegt hat, dann ist er vermutlich verängstigt, unruhig und unterwür-fig. Je intensiver seine Gefühle, desto extremer seine Ohrstel-lung. Hunde nehmen diese Haltung auch ein, wenn sie überle-gen, was wohl als Nächstes geschieht, oder wenn sie mit einem anderen Hund in ein Kampfspiel verwickelt sind. Indem sie ihre Ohren nach hinten anlegen, sagen sie: »Das ist nur ein Spiel. Ich will dir nichts Böses.«

► Schlapp

Wenn ein Hund die Ohren wie nasse Lappen nach unten hängen lässt, will er damit sagen: »Ich langweile mich zu Tode.« Hunde mit Stehohren können die Ohren natürlich nicht nach unten hängen lassen, sie lassen sie ein wenig zur Seite kippen.

◄ Widersprüchliche Stellung

Manchmal sind auch Hunde unschlüssig, und das zeigt sich dann auch an ihren Ohren. Der Anblick eines Hundes, der ein Ohr aufgestellt und das andere teilweise angelegt hat, ist nicht ungewöhnlich. Manchmal ist auch ein Ohr nach vorn geklappt, während das andere flach am Kopf anliegt. Mitunter verändern die Ohren ständig ihre Stellung. Dies ist z. B. zu beobachten, wenn ein Fremder zu Ihnen nach Hause kommt und der Hund nicht weiß, ob er freudig erregt oder nervös sein soll.

KAPITEL FÜNFZEHN

DIE RUTE

Die Rute eines Hundes ist sein ausdrucksvollster Körperteil. Damit kann er Glück, Aggression, Stress und jeden anderen Gemütszustand zum Ausdruck bringen.

Die Rute eines Hundes ist ständig in Bewegung, ob es sich dabei nun um einen stattlichen Busch, eine lebhafte Peitsche oder einen wackelnden Stummel handelt. Die Schwanzbewegungen können viel über den Hund verraten. Und die Botschaften sind oft komplexer als: »Toll, Zeit fürs Fressen.« Der Schwanz zeigt je nach Art des Wedelns an, ob der Hund nervös, schüchtern, glücklich oder aggressiv ist. Wenn Sie wissen, worauf Sie achten müssen, erkennen Sie, was Ihr Hund fühlt und was er vorhat.

Wenn Hunde allein sind, wedeln sie normalerweise nicht mit dem Schwanz, selbst wenn sie fröhlich den Garten umgraben oder Vögel über

ÜBERFLÜSSIGE OPERATION

Rottweiler, Dobermann und Boxer (unten) waren lange für ihren kurzen Stummelschwanz bekannt, der manchmal wie ein Metronom rasch hin- und herzuckt. Dieser Stummelschwanz entsprang jedoch nicht einer Laune der Natur, sondern kam durch Kupieren zustande, das so genannten Rassestandards folgte. Die für die jeweiligen Rassen zuständigen Zuchtvereine legen die »idealen« Rassestandards fest. Diese Standards werden hauptsächlich durch Zuchtwahl erreicht. Doch bei einigen Rassen entspricht die natürliche Rutenform nicht diesen Standards, und so wurden Schwanz und Ohren ein paar Tage nach der Geburt kupiert, das heißt abgeschnitten. In Deutschland ist das Kupieren seit 1987 laut Tierschutzgesetz verboten. Ein abgeschnittener Schwanz beeinträchtigt die Kommunikation mit anderen Hunden, denn der Hund hat einfach nicht mehr so viele Möglichkeiten, seine Empfindungen auszudrücken. Dennoch sind andere Hunde meist in der Lage, die nötigen Informationen über ihren Artgenossen auch über andere Signale zu entschlüsseln.

ihren Köpfen anbellen. Das liegt daran, dass das Schwanzwedeln hauptsächlich der Kommunikation dient, vergleichbar dem Smalltalk bei Menschen. Sobald ein Hund mit Menschen oder anderen Hunden zusammen ist, beginnt er, mit dem Schwanz zu wedeln.

Wie schnell und heftig ein Hund wedelt, hängt von der Rasse und dem Temperament ab. Manche Hunde wie der Cavalier-King-Charles-Spaniel neigen dazu, bereits bei der leisesten Erregung zu wedeln. Andere Rassen wie Rottweiler wedeln längst nicht so häufig mit dem Schwanz. Bei allen Hunden gilt ein leichtes Wedeln mit der Schwanzspitze als unverbindliche Begrüßung. Je fröhlicher und aufgeregter ein Hund ist, desto lebhafter wedelt er mit dem Schwanz. Ein aufgestellter Schwanz, der nicht wedelt, ist ein Zeichen dafür, dass der Hund defensiv oder aggressiv ist und vielleicht sein Beschützerinstinkt geweckt ist.

Ein Hund muss nicht erst lernen, wie er mit dem Schwanz wedelt. Ein wedelnder Schwanz ist die spontane Antwort auf ein erfreutes Wiedererkennen – ein Hund trägt sein Herz nicht auf der Zunge, sondern sozusagen auf der Rute.

Was sagt die Rute?

Nicht jeder Hund beherrscht die Rutensprache gleichermaßen gut. So wie es Menschen gibt, die sich verbal nicht so gut ausdrücken können, gibt es auch Hunde, die sich mit ihrer Rute nicht so gut verständlich machen können. Das liegt jedoch nicht an ihrem mangelnden Talent, es hat vielmehr genetische Gründe. Die Ruten einiger Hunderassen sind weniger beweglich als andere. Manche Hunderassen haben Ruten, die eng am Hinterleib getragen werden. Diese Hunde können sich noch so sehr bemühen, ihre Ruten machen einfach nicht mit.

Fest geringelt
Basenji

Kupiert
Dobermann

Buschig
Alaskan Malamute

Das kann für Hunde wie die Französische Bulldogge, den Basenji und den Boxer ein echtes Problem darstellen, denn ihre Ruten sind klein und fest zusammengeringelt. Diese Hunde verlegen sich auf andere Bereiche der Körpersprache, um ihre Gefühle auszudrücken. Wenn sie glücklich sind, wackeln sie mit dem ganzen Körper vor und zurück und wedeln mit dem Schwanz von einer Seite auf die andere. Außerdem »arbeiten« sie viel mit dem Kopf. Sie runzeln die Stirn, wenn sie neugierig sind,

Kurz und aufgestellt
West Highland White Terrier

Hoch aufge-stellt und steif
Airedale

Zwischen den Beinen
Grey-hound

und bewegen die Ohren in verschiedene Richtungen.

Australische Schäferhunde kommen mit einem sehr kurzen Schwanz auf die Welt, manchmal sogar ganz ohne. Bei Boxer, Schnauzer, Rottweiler und Dobermann wurde der Schwanz häufig kupiert, das heißt abgeschnitten. Diese Hunde setzen ihren Stummelschwanz so gut ein, wie sie können, doch ihre Ausdrucksmöglichkeiten sind naturgemäß eingeschränkt.

Anderen Hunden hingegen fällt die Kommunikation aufgrund ihrer ausgeprägten Ruten sehr leicht. Hunde mit langen, buschigen und auffälligen Ruten – dazu zählen Deutscher Schäferhund, Samojede und Sibirischer Husky – haben keine Probleme, ihre Gefühle zum Ausdruck zu bringen. Sie können nicht nur ihre Rute frei bewegen, sie können auch das Fell am Schwanz jederzeit sträuben, was ihnen Ausstrahlung und Autorität verleiht. Scotchterrier und West Highland White Terrier liegen zwischen diesen beiden Extremen. Auch wenn bei ihnen der Schwanz, ebenso wie das Fell, ziemlich kurz ist, so ist er doch sehr ausdrucksstark, weil die geringe Größe durch die Beweglichkeit und die aufrechte Stellung wettgemacht wird.

Eine Rute mit langem Fell macht die Kommunikation leichter, weil das Fell die normale Bewegung noch betont. Für Hunde mit sehr kurzer Rute kann langes Fell allerdings auch ein Problem darstellen. Das üppige Fell eines Bobtails z. B. verdeckt seine Rute. Egal, wie heftig ein Bobtail mit dem Schwanz wedelt, es ist nicht zu erkennen. Um das zu kompensieren, bewegen diese Hunde oft ihr ganzes Hinterteil.

Vorurteile

Hunde haben keine Vorurteile gegenüber Artgenossen. Ein Deutscher Schäferhund hat keine Vorbehalte gegen einen Labrador, und ein Pudel spielt nur zu gern mit einem Dackel. Menschen hingegen neigen dazu, vorschnell zu urteilen, nicht nur über andere Menschen, sondern auch über Hunde. Und zum Teil hängt dieses Urteil mit der Rute eines Hundes zusammen.

So besitzt z. B. der Welsh Terrier einen hoch am Hinterteil angesetzten Schwanz, mit dem er kräftig wedelt, und die meisten Leute müssen bei diesem Anblick lächeln. Bei der Deutschen Dogge sitzt der Schwanz sehr viel tiefer am Rumpf. Das lässt sie etwas launisch oder überheblich erscheinen. Egal, wie glücklich oder freundlich eine Dogge tatsächlich ist, ihre tief angesetzte Rute hat nicht den gleichen freundlich-offenen Charakter wie die hoch erhoben wedelnde Rute anderer Hunde.

Die verschiedenen Rassen tragen eben auch ihre Ruten alle unterschiedlich. Foxterrier und Airedaleterrier tragen z. B. die Rute von Natur aus hoch und ziemlich steif. Dadurch machen

sie oft einen selbstbewussten oder sogar aggressiven Eindruck. Viszlas und Golden Retriever tragen die Rute ein wenig entspannter, wodurch sie friedlich wirken. Greyhound, Whippet und Barsoi tragen ihre Rute meist zwischen den Hinterbeinen. Menschen denken deshalb oft, sie seien schüchtern, ängstlich oder unglücklich, doch das sind sie nicht. Die Rute sieht eben so aus.

Rute und Geruch

Die Rute spielt bei der Kommunikation noch eine weitere wichtige Rolle. Jedes Mal, wenn ein Hund seine Rute bewegt, verteilt er damit wie mit einem Fächer seine persönlichen Duftstoffe in der Umgebung.

Hunde benutzen ihren Geruchssinn weit mehr als Menschen, und ein Geruch, der stets ihre Aufmerksamkeit erregt, ist jener, der den Analdrüsen entströmt. Die Analdrüsen bestehen aus zwei Beuteln unterhalb des Schwanzes, die ein Sekret absondern, dessen Geruch für Hunde so unverwechselbar ist wie der Fingerabdruck beim Menschen. Wenn Hunde diesen

SCHON GEWUSST?

Warum wedeln Hunde mit dem Schwanz?

Hunden scheint es viel Spaß zu machen, sich im Kreis um sich selbst zu drehen und ihrem eigenen Schwanz nachzujagen. Doch nicht immer handelt es sich um ein lustiges Spielchen. Möglicherweise ist die Haut am Rücken gereizt, das Hinterteil juckt, oder der Hund leidet an einer Flohallergie. Wird jedoch beim Tierarzt kein gesundheitliches Problem festgestellt, und Ihr Hund jagt immer noch seinem Schwanz nach, dann tut er es wirklich zum Spaß. Einige Hunde sehen ihren Schwanz und wollen ihn dann genau untersuchen.

Auch wenn Hunde mit langem Schwanz ihrer Rute häufiger hinterherjagen als Hunde mit kurzem Stummelschwanz, ist dies keineswegs ein weit verbreitetes Verhalten. Bei manchen Hunden ist dieses Phänomen nie zu beobachten.

Geruch wahrnehmen, erhalten sie viele wichtige Informationen über Geschlecht, Alter und Rang des anderen Hundes. Dieser Geruch ist sozusagen der Personalausweis eines Hundes. Anhand der Einzelheiten, die Hunde bei seinem Erschnuppern erfahren, wissen sie, ob sie sich dem anderen respektvoll oder verächtlich, lüstern oder gleichgültig nähern sollen bzw. können.

Indem ein Hund mit dem Schwanz wedelt, verbreitet er seinen unverwechselbaren Geruch – seine persönliche Visitenkarte.

Wenn ein Hund mit dem Schwanz wedelt, ziehen sich die Muskeln rund um seinen Anus zusammen, üben Druck auf die Analbeutel aus und setzen das Sekret frei. Ein dominanter Hund, der seine Rute hoch erhoben trägt, verströmt mehr Geruchsmoleküle als ein unterwürfiger Hund, der seinen Schwanz tiefer trägt. Wedelt der Hund noch dazu mit dem Schwanz, verteilen sich die Geruchsmoleküle noch besser.

Wenn nervöse, ängstliche oder unterwürfige Hunde den Schwanz zwischen die Hinterbeine klemmen, wollen sie verhindern, dass andere Hunde an ihrem Hinterteil schnuppern. Es ist ihre Methode, sich möglichst unsichtbar zu machen und keine Aufmerksamkeit zu erregen.

Vielseitiges Instrument

Wenn Hunde mit ihrem Schwanz (oder ihrer Rute) nicht gerade kommunizieren, benutzen sie ihn für andere nützliche Zwecke. Zunächst einmal ist der Schwanz wichtig für das Gleichgewicht eines Hundes. Einige Rassen wie Afghanen, Irish Wolfhounds und Greyhounds wurden gezüchtet, um Beute zu jagen, die sich schnell bewegt. Bei ihnen ist die Rute dünn und

Wenn ein Greyhound rennt, setzt er seinen Schwanz als Ruder ein. So kann er rasch die Richtung ändern.

im Verhältnis zum Rumpf sehr lang. Sie können sehr schnell rennen und setzen den Schwanz als Gegengewicht ein, wenn sie die Richtung wechseln. Ihre lange Rute macht sie sehr beweglich und ermöglicht ihnen, rasch auf Richtungswechsel ihrer Beute zu reagieren. Der Schwanz läuft zum Ende spitz zu und ist tief angesetzt. Zusammen mit dem abgeschrägten Rumpf sorgt dies für einen kräftigen Rudereffekt.

Auch beim Schwimmen setzen Hunde ihren Schwanz als Ruder ein. Chesapeake-Bay-Retriever und Labrador-Retriever haben eine Rute, die dick und stark ist und ihnen dabei hilft, leicht durchs Wasser zu gleiten. Sie ist außerdem sehr beweglich, dadurch können sie auch im Wasser rasch eine andere Richtung einschlagen.

Andere Hunde nutzen ihren Schwanz, um sich vor Kälte zu schützen. Nordische Rassen, so der Sibirische Husky, Samojede und Alaskan Malamute, haben einen dicken oder buschigen Schwanz mit langem, dichtem Fell. Wenn sie sich hinlegen, können sie den Schwanz über ihr Gesicht ziehen und es so vor Kälte schützen.

STELLUNG UND BEWEGUNG DER RUTE

Anhand der Schwanzbewegungen erfährt man eine Menge über Hunde. Das Wedeln ist dabei nur ein Teil des Repertoires. Auch die Rutenstellung ist bedeutsam. Indem Sie die Stellung und die Bewegungen des Schwanzes aufmerksam beobachten, bekommen Sie eine ziemlich genaue Vorstellung von dem, was Ihr Hund Ihnen sagen will.

▶ Ausladend wedeln

Hunde wedeln oft in ausladenden Bewegungen, wenn sie spielen oder auf etwas Angenehmes wie ihr Futter warten. Doch setzen sie diese Art zu wedeln auch dann ein, wenn sie sich wichtig machen wollen oder sich auf einen Angriff vorbereiten. Den Unterschied erkennt man nur, wenn man auch auf andere Anzeichen achtet, die die Absichten des Hundes verraten könnten – wie z. B. die Körperhaltung.

◀ Aufgestellt wedeln

Hunde, die ihren Schwanz hoch halten und damit hin- und herwedeln, sind immer guter Stimmung. Die Geschwindigkeit des Wedelns nimmt dramatisch zu, wenn der betreffende Hund, den sie z. B. zum Spielen animieren wollen, positiv reagiert.

STELLUNG UND BEWEGUNG DER RUTE – FORTSETZUNG

◀ Waagerecht

Wenn ein Hund seine Rute parallel zum Boden hält, ist sein Interesse geweckt. Diese Botschaft ist natürlich nur bei Hunden mit langer Rute erkennbar. Hunde mit kurzem oder kupiertem Schwanz vermitteln dieselbe Botschaft, indem sie ihn ein wenig höher halten als normalerweise.

▶ Eingeklemmt

Unterwürfige oder ängstliche Hunde klemmen den Schwanz zwischen die Hinterbeine – je weiter, desto stärker die Emotionen. Ein Hund, der große Angst hat, klemmt seinen Schwanz unter Umständen so weit unter, dass die Schwanzspitze bis zum Bauch reicht. Selbst dann kann die Spitze noch wackeln – ein Zeichen für seine Qual. Doch nicht immer ist ein eingeklemmter Schwanz ein trauriger Anblick. Für Welpen z. B. ist das völlig normal. Sie begrüßen erwachsene Hunde mit eingeklemmtem Schwanz. Es ist ihre Art, Respekt zu bekunden. Sobald der erwachsene Hund ihre Begrüßung akzeptiert, holen sie die Rute hervor und wedeln wieder ganz normal.

▶ Hoch und unbeweglich

Richtet sich bei einem Hund die Rute aus der horizontalen Haltung nach oben und wird unbeweglich, kann man sicher sein, dass sich die anfangs interessante Situation zu einer bedrohlichen entwickelt hat. Hunde, die versuchen, ihre Autorität unter Beweis zu stellen, halten in der Regel ihren Schwanz ein wenig höher als waagerecht. Um noch stärker und dominanter zu wirken, stellen sie den Schwanz noch weiter auf und wedeln ein wenig hin und her. Wird der Schwanz fast unbeweglich, ist das ein Zeichen dafür, dass der Hund wirklich verärgert oder wütend ist. Wenn Wut sich in Aggressivität verwandelt, wird die Rute noch weiter aufgerichtet und bewegt sich überhaupt nicht mehr. Dann ist aber das Fell am Schwanz gesträubt. Damit macht sich der Hund größer. Meist sträubt er dann auch das Fell auf dem Rücken und an der Schwanzwurzel.

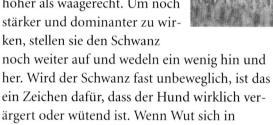

▶ Tief und leicht wedelnd

Während Hunde, die Wut oder andere heftige Gefühle empfinden, die Rute aufrecht stellen, lassen Hunde in gedrückter Stimmung die Rute hängen. Eine Rute, die nicht einmal waagerecht steht und nur ganz wenig wedelt, deutet darauf hin, dass der Hund niedergeschlagen ist. Der Hund ist besorgt und unsicher. Vielleicht ist er aber auch gesundheitlich angeschlagen.

KAPITEL SECHZEHN

FALSCHE SIGNALE VERMEIDEN

Hunde werden durch die menschliche Körpersprache und den Klang der Stimme oft verwirrt. Wenn wir verstehen, worauf Hunde reagieren, ist es für uns einfacher, eine Botschaft auf die richtige Art und Weise zu übermitteln.

Auch wenn Hunde ein paar Wörter und ein wenig von der menschlichen Körpersprache verstehen, sind ihnen unsere Verhaltensweisen und unsere Art der Kommunikation fremd. Sie versuchen uns zu verstehen, indem sie unser Verhalten in die Hundesprache übersetzen, und das führt oft zu Missverständnissen.

Wenn Menschen aufgeregt sind, fuchteln sie z. B. viel mit den Händen herum. Unsere Ausstrahlung und unser Gesichtsausdruck sagen dem Hund zwar, dass wir glücklich sind, und doch wird er den Verdacht nicht los, wir könnten in Wahrheit wütend sein, denn in der Tierwelt bedeuten rasche, überschwängliche Bewegungen normalerweise Aggression oder Gefahr und nicht Spaß.

Verwirrung entsteht auch, wenn wir einem Hund etwas befehlen, und er gehorcht uns nicht, z. B. wenn Sie Ihren Hund anschreien, er solle aufhören zu bellen, und er bellt einfach weiter. Je mehr ein Hundehalter seinen Vierbeiner zu etwas drängt, desto schlechter benimmt der sich – oder zumindest hat es oft diesen Anschein. Die Frustration ist auf beiden Seiten groß. Viele Leute glauben, dass ihre Hunde dickköpfig sind. Doch kein Hund ist dickköpfig, er hat nur widersprüchliche Botschaften empfangen.

Hunde reagieren am besten, wenn Worte und unsere Körpersprache dieselbe Botschaft vermitteln. Dieser Bichon ignoriert den Befehl zu kommen, weil er den Überschwang seiner Besitzerin als Wut missversteht.

Wenn man bedenkt, dass Hunde und Menschen untereinander vollkommen anders kommunizieren, sind Missverständnisse eigentlich unvermeidlich. Hunde besitzen nicht die Fähigkeit, uns zu verstehen, wir hingegen können sie verstehen lernen. Sobald Sie nachvollziehen können, wie ein Hund den Klang Ihrer Stimme und Ihre Körpersprache wahrnimmt, lassen sich Kommunikationshindernisse leicht überwinden.

Sprachbarrieren

Die menschliche Stimme kann bei Hunden zu Verwirrung führen. Sie sind natürlich mit der Stimme ihrer Besitzer vertraut, und sie unterscheiden zwischen verschiedenen Lautstärken und Tonlagen. Doch Stimmen, die sie nicht kennen, sind für sie oft verwirrend. Hunde hören nicht so sehr auf die Wörter, sondern reagieren vielmehr auf den Tonfall. Sie sind in der Lage, zu überprüfen, ob die Lautäußerung mit der Körpersprache übereinstimmt. Deshalb können Menschen manchmal etwas Bestimmtes sagen, und Hunde verstehen etwas ganz anderes.

Tonfall. Hunde reagieren sehr empfindlich auf den Tonfall eines Menschen. In der Welt der Hunde sind junge oder unterwürfige Hunde diejenigen, die hoch bellen oder jaulen, während die dominanteren Hunde eher ein tiefes Knurren von sich geben. Es ist daher normal, wenn Hunde in Gegenwart von Männern mit tiefer Stimme ein wenig nervös werden, weil sie die Stimmhöhe mit Autorität gleichsetzen. Den meisten Männern ist dieser Sachverhalt nicht bewusst, und sie verstehen nicht, warum Hunde so negativ auf sie reagieren.

Menschen müssen ihre Stimme nicht verstellen, um sich mit Hunden zu verständigen, doch es kann helfen, ein wenig die Stimme zu heben. Für Hundeohren klingt eine höhere Stimme weniger bedrohlich und fröhlicher. Ausbilder empfehlen, energisch und in hoher Tonlage zu sprechen, denn alle Hunde reagieren auf eine höhere Stimme positiv.

Eine tiefe Stimme stiftet bei Hunden am meisten Verwirrung, doch auch eine hohe Stimme kann problematisch sein, vor allem wenn sie bei erzieherischen Maßnahmen eingesetzt wird. Angenommen, Sie wollen Ihrem Hund beibringen, ordentlich an der Leine zu gehen, und er zieht nach vorn und läuft im Zickzack vor Ihnen her. Wenn Sie eine hohe Stimme haben und ihn tadeln – die menschliche Stimme wird normalerweise immer höher, wenn der Betreffende angespannt ist –, verhält sich Ihr Hund vermutlich so, wie er sich in Gegenwart eines jüngeren oder unterwürfigen Hundes verhalten würde, und ignoriert Sie einfach. Es lohnt sich, die Stimme beim Tadeln ein wenig zu senken. Selbst wenn Sie nicht böse klingen, wird der tiefe, raue Tonfall Ihren Hund an dominante Vorbilder erinnern, und er wird vermutlich besser gehorchen.

Worte und Taten. Hunde sind Experten, wenn es darum geht, alle Nuancen der Körpersprache zu deuten. Das bedeutet, dass sie sofort wissen, wann Ihre Worte und Ihre Stimme nicht die ganze Wahr-

Dieser Zwergpudel reagiert sehr sensibel auf den Tonfall seines Herrchens. Männer mit tiefen Stimmen haben oft mehr Erfolg mit einem Lob, wenn sie dabei die Stimme heben.

heit sagen. Das ist z. B. sehr oft in einer Tierarztpraxis der Fall, wenn Leute versuchen, ihre nervösen Hunde zu beruhigen, und ihnen sagen, dass alles in Ordnung sei. Die Hunde wissen sehr wohl, dass ganz und gar nicht alles in Ordnung ist, und die Beruhigungsversuche ihrer Besitzer bewirken unter Umständen das genaue Gegenteil. Hunde denken in dieser Situation vermutlich: »Es muss ziemlich schlimm sein, wenn man mich so anlügt.«

Noch schlimmer wird es, wenn Hunde anfangen zu knurren, weil sie Angst haben. Es ist natürlich, einen Hund beruhigen zu wollen, der Angst hat, doch der Versuch erhöht die Anspannung wahrscheinlich nur. Der Hund wird sich durch die beruhigenden Worte noch bestärkt fühlen in dem, was er gerade tut. Diese Art von Missverständnis ist problematisch, weil Ihr Hund einfach nicht versteht, dass Sie sein Verhalten unangebracht finden.

Besser ist es, wenn Sie Ihrem Hund mit fester Stimme befehlen, damit aufzuhören. Er wird die Bestimmtheit respektieren, und die eindeutige Botschaft wird ihm etwas von der Anspannung nehmen. Er wird erkennen, dass Sie das Kommando haben, und daraufhin besser zurechtkommen.

Lachen. Manchmal fällt es einem schwer, sich das Lachen zu verkneifen, wenn Hunde sich dumm oder tollpatschig anstellen. Es ist aber sehr wichtig, nicht zu lachen, wenn Hunde etwas falsch gemacht haben. Hunde betrachten Lachen als ein fröhliches Geräusch, das ihnen signalisiert, dass sie Ihre volle Zustimmung haben. Und deshalb werden sie auch in Zukunft das Gleiche wieder falsch machen, um Ihre Zustimmung erneut zu bekommen.

Unterschiedliche Körpersprache

Wenn Hunde mehr über andere Hunde erfahren möchten, konzentrieren sie sich auf deren Haltung. Ein Hund weiß bereits aus der Ferne, was ein anderer gerade denkt, indem er sich seine Körper- und Rutenhaltung anschaut. Eine wachsame Pose bedeutet, dass der Artgenosse aufmerksam ist. Wenn er steif dasteht, den Schwanz horizontal hält und rhythmisch damit wedelt, bedeutet dies, dass er auf der Hut ist.

Botschaften von Hund zu Hund sind ziemlich eindeutig; Hunde betreten jedoch fremdes Terrain, wenn sie versuchen, die menschliche Körpersprache zu entziffern, vor allem deshalb, weil unsere Körpersignale manchmal nicht dieselbe Botschaft vermitteln wie die Stimme oder der Gesichtsausdruck. Wenn man mit Hunden zu tun hat, sollte man sich seiner Körpersprache bewusst sein und dafür sorgen, dass sie keine andere Botschaft übermittelt als die Worte, die wir sprechen. Stimme und Körpersprache stimmen oft dann nicht überein, wenn Sie sich über Ihren Hund ärgern, dies jedoch nicht zeigen wollen. Doch was Sie auch sagen, Ihr Hund erkennt, dass Ihr Gesicht, Ihre Arme und Schultern angespannt sind. Diese Anzeichen von Nervosität verwirren Ihren Hund, weil Sie ihm nicht eindeutig mitteilen, was Sie wirklich empfinden. Ihre Stimme sagt zwar, dass alles in Ordnung ist, doch Ihr Körper signalisiert das Gegenteil. Nehmen Sie eine entspannte Haltung ein, wenn Sie mit Ihrem Hund zu tun haben. Wenn Ihre Schultern angespannt und Ihr Gesichtsausdruck streng ist, spürt Ihr Hund, dass Sie wütend sind, weil er Ihrem Körper mehr Beachtung schenkt als Ihren Worten.

FILMSTARS AUF VIER BEINEN

Wenn in einem Film ein Hund mitspielt, wirkt er auf den Betrachter meist ganz natürlich. Dem, was auf der Leinwand zu sehen ist, ist aber stundenlange Abrichtung vorausgegangen. Drehbücher verlangen von Hunden oft Dinge, die ihrem natürlichen Verhalten zuwiderlaufen.

Um einen Hund so abzurichten, dass er »schauspielert«, muss ein Ausbilder die volle Aufmerksamkeit eines Hundes haben, egal, was passiert. Die meisten Ausbilder benutzen einen Knackfrosch, mit dem sie die Hunde wissen lassen, dass sie ein Leckerchen erwartet oder dass sie ihre Arbeit gut gemacht haben. Ein Filmhund ist so abgerichtet, dass er aufpasst und auf ein entsprechendes Kommando hört. Dann wartet er auf das Klicken. Sobald die Szene beendet ist, wird er mit einem Leckerchen belohnt.

Da Hunde im Film oft beim Rennen gezeigt werden sollen, müssen sie lernen, auf einem Laufband zu laufen. Das ist im Studio meist die einzige Möglichkeit, eine solche Szene zu drehen. Für Hunde ist das ziemlich langweilig, und dennoch sollen sie dabei freudig erregt und nicht verwirrt wirken. Daher werden die Hunde so abgerichtet, dass sie beim Laufen die vor ihnen herlaufenden Ausbilder beobachten.

Oft dauert es drei bis vier Monate, um einen Hund für ein paar Filmszenen abzurichten. Ein großer Teil der Vorbereitung besteht darin, mit dem Hund viele verschiedene Orte zu besuchen. Dadurch soll sich der Hund daran gewöhnen, viele verschiedene Geräusche zu hören und unterschiedliche Menschen kennen zu lernen, damit ihn nichts mehr überraschen oder verwirren kann. Es hilft ihm außerdem, bei Lärm und in Gegenwart fremder Menschen und großer Ausrüstungsgegenstände ruhig zu bleiben. Zudem müssen sich Filmhunde häufig mit der Anwesenheit von anderen Tieren wie Hühnern oder Schweinen am Set abfinden, die sie nicht jeden Tag zu sehen bekommen.

Hunde, die wie dieser Zwergschnauzer beim Film mitwirken, sind so abgerichtet, dass sie auch in ungewöhnlichen Situationen die Ruhe bewahren.

Geistige Hürden

Für uns ist es normal, das Verhalten eines Hundes nach menschlichen Vorstellungen zu interpretieren. Hunde haben ein reiches Gefühlsleben, doch ihre Gefühle sind mit unseren nicht zu vergleichen. Manche Leute schwören, dass ihr Hund schuldbewusst aussieht, wenn er etwas falsch gemacht hat. Doch Hunde haben kein Schuldempfinden. Wenn Sie nach Hause kommen und den Müll auf dem Boden verstreut finden, während Ihr Hund in der Ecke kauert, müssen Sie davon ausgehen, dass er nicht weiß, dass er etwas falsch gemacht hat. Er sieht zwar Ihr Gesicht und weiß, dass Sie böse sind – was den Müll zu Ihren Füßen betrifft, hat er aber vergessen, dass er dafür verantwortlich ist.

Staffordshire-Bullterrier haben oft eine dominante Ader. Wenn man mit ihnen balgt und rauft, was sie nur allzu gern tun, verstärkt man diese Neigung noch.

Vermutlich entsteht noch mehr Verwirrung, wenn Sie anfangen aufzuräumen. Sie sind wütend und werden noch wütender, wenn Ihr Hund auch noch anfängt, mit Ihnen im Müll zu wühlen. Doch damit verhält er sich nicht respektlos. Weil Sie ja den Müll auch anfassen, ist es in seinen Augen ganz in Ordnung, wenn er es auch tut. Er folgt nur seinem Leithund – für Hunde ein ganz natürliches Vorgehen.

Wichtig ist, dass Sie sich der Situation angemessen verhalten. Ihr Hund muss die Möglichkeit haben, zwischen dem, was er getan hat, und Ihrer Reaktion eine logische Verbindung herstellen zu können. Und seien Sie vor allem konsequent: Wenn Sie anfangen, Ihren Hund auszuschimpfen, dann plötzlich einlenken und ihn nachsichtig hinter den Ohren kraulen, ist das für ihn unverständlich und unlogisch. Das wiederum hat bei ihm Verwirrung zur Folge.

Missverständnis: Wer bestimmt? Hunde möchten wissen, wer bestimmt, und in den meisten Fällen sind sie froh, wenn ihr Besitzer das Kommando übernimmt. Doch manchmal kommt es vor, dass der Besitzer die falsche Botschaft übermittelt und den Hund glauben lässt, er könne jetzt die Führungsrolle übernehmen. Die Frage, wer das Kommando hat, stellt sich häufig beim Spielen. Wenn Hunde miteinander spielen, artet das Spiel meist in Balgerei aus. Hunde sind athletisch und setzen ihren Körper ein, um zu beweisen, dass sie stärker und geschickter sind als ihre Gegner. Das Ziel des Spiels besteht häufig darin, festzustellen, wer als Erster aufgibt. Es ist nur Spaß, doch unterschwellig ist es immer auch ein Konkurrenzkampf.

Dieselbe Motivation kann auch ihrem Spiel mit Menschen unterliegen. Menschen, die mit ihren Hunden etwas rauer spielen, sich mit ihnen balgen oder an einem Seil ziehen, schaffen eine Situation, in der Hunde meinen, gewinnen zu müssen. Normalerweise ist es unproblematisch, dass der Hund auch mal »verliert«. Doch einige Hunde sind von Natur aus dominanter als andere und sehen es gar nicht ein, kampflos aufzugeben.

Mit Hunden, die zu Aggressivität neigen, sollte man nicht balgen oder Spiele spielen, bei denen sie z. B. an einem Seil ziehen sollen. Wenn sie zu verlieren glauben, werden sie immer ruppiger, bis sie es in ihren Augen geschafft haben, das Blatt zu wenden. Wenn Sie solch einen Hund absichtlich gewinnen lassen, wird er danach annehmen, jetzt die Oberhand zu haben. Das kann zu Autoritätsproblemen führen.

Selbst bei Hunden, die nicht aggressiv sind, kann eine Balgerei schnell außer Kontrolle geraten. Hunde spielen, indem sie spielerisch zubeißen. Doch sie beachten dabei nicht, dass sie selbst zwar schützende Fellschichten und lose Haut besitzen, die dem spielerischen Zubeißen standhalten, Menschen jedoch nicht. Das bedeutet, dass Menschen nicht dasselbe aushalten können wie Hunde. Ein Hundebesitzer, der sich eben gerade noch amüsiert hat, verzieht im nächsten Augenblick möglicherweise schmerzverzerrt das Gesicht und wird wütend. Das Ergebnis ist wiederum Verwirrung beim Hund.

Wenn der Anschein trügt

Hunde beobachten Menschen sehr viel genauer, als diese jemals Hunde beobachten. Sollte unser Gesichtsausdruck nicht den anderen Signalen, die wir senden, entsprechen, sind Hunde ver-

Der fröhliche Tonfall, die freundliche Mimik und die entspannte Haltung der Frau vermitteln alle die gleiche Botschaft, und ihr Belgischer Schäferhund kann sicher sein, dass sie zufrieden mit ihm ist.

wirrt. Wenn Sie z. B. versuchen, streng zu sein, Ihr Mund sich aber zu einem Lächeln verzieht, wissen Hunde nicht, wem sie glauben sollen – Ihrer Stimme oder Ihrem Gesichtsausdruck. Das Gleiche gilt für den Fall, dass Sie Ihrem Hund mit strenger Stimme sagen, er solle sich setzen, und ihm ein paar Sekunden später zublinzeln. Er wird denken, dass Sie ihm damit erlauben aufzustehen und herumzulaufen. Ein fröhliches Gesicht ist dann angebracht, wenn Sie Ihren Hund loben wollen. Doch versuchen Sie nicht, Ihren Hund mit einem »falschen« Gesichtsausdruck irrezuführen, und vermeiden Sie widersprüchliche Signale. Hunde fühlen sich nur sicher, wenn sie wissen, was Sie empfinden.

VIERTER TEIL

Wenn die Kommunikation scheitert

Viele Kommunikationsprobleme beginnen damit, dass der Hund nicht weiß, wer das Kommando hat. Um Ihren Führungsanspruch durchzusetzen und die Kommunikation nicht scheitern zu lassen, müssen Sie Ihre Körpersprache, Ihre Mimik und Stimme wirkungsvoll einsetzen. Gleichzeitig sollten Sie die Signale Ihres Hundes richtig deuten lernen.

KAPITEL SIEBZEHN

Wer hat das Kommando?

Jeder Hund ist froh, wenn er weiß, wer das Kommando hat. Indem Sie Ihren Hund wissen lassen, dass Sie der Boss sind, machen Sie sich und ihm das Leben leichter.

Kinder lernen von ihren Eltern und Lehrern, dass man Rücksicht auf andere zu nehmen hat, weil sich kein Mensch gerne herumkommandieren lässt. Hunde sehen das anders. Sie werden gern herumkommandiert. Tatsache ist, dass Hunde sogar herumkommandiert werden müssen, vor allem von den Menschen, mit denen sie zusammenleben.

Hunde sind Rudeltiere. Das bedeutet, dass sie als Wildtiere ursprünglich Teil einer stark strukturierten Gemeinschaft waren. Sie verließen sich auf ihren Leithund, um zu überleben. Heute sind Hunde diesem Überlebenskampf nicht mehr ausgesetzt, doch die alten Instinkte sind geblieben. Hunde betrachten ihre menschliche Familie als ihr Rudel, und ihr Besitzer ist für sie der Leithund dieses Rudels.

Hunde fühlen sich besser aufgehoben, wenn sie wissen, wer der Leithund ist. Wenn die Rolle des Leithundes nicht von einem Menschen übernommen wird, tut dies der Hund. Die meisten Hunde wollen jedoch gar nicht den Leithund spielen. Sie ziehen es vor, dass ihr Besitzer ihnen sagt, wo es lang geht. Wenn der Hundehalter aber nach dem Motto »Leben und leben lassen« handelt, werden sie oft unruhig, weil sie nicht wissen, an wem sie sich orientieren sollen. Also übernehmen sie, wenn auch widerstrebend, selbst die Führungsrolle.

Wenn ein Hund versucht, Leithund der Familie zu werden, kann das ernste Folgen haben. Statt Ihren Kommandos zu gehorchen, wird er immer dominanter. Unter Umständen beginnt er immer, wenn er es für nötig hält, zu knurren, zu schnappen oder sogar zu beißen. Hat ein Hund erst einmal das Kommando übernommen, gibt er diese neu entdeckte Führungsrolle unter Umständen nur ungern wieder auf. Das be-

Ein Welpe muss früh lernen, Ihre Führungsrolle und Ihre Regeln zu akzeptieren.

deutet, dass er weiter beißt, knurrt und Sie zu dominieren versucht, bis endlich irgendjemand dem ein Ende macht und selbst die Kontrolle übernimmt.

Um eine derartige Entwicklung zu verhindern, müssen Sie von Anfang an die Führungsrolle übernehmen und dafür sorgen, dass Ihr Hund diese auch akzeptiert. Dabei sollten Sie wohlwollend bleiben. Ein guter »Leithund« nutzt seine Stellung nie aus, und Dominanz ist nicht gleichbedeutend mit Härte oder Willkür.

Wie Sie Ihren Hund leiten

Zu Führungsqualitäten zählt die Fähigkeit, sich klar auszudrücken und konsequent zu sein. Ein Hund kann nicht erraten, was Sie wollen, oder Fragen stellen. Daher müssen Sie deutlich machen, was Sie von ihm wollen. Und da Hunde einen kraftlosen Leithund nicht anerkennen, müssen Sie ein paar Grundregeln festlegen und sich auch daran halten. So weiß der Hund, was von ihm erwartet wird. Hier ein paar Tipps, wie Sie der »Leithund« werden und bleiben, dem Ihr Hund am meisten vertraut.

Seien Sie konsequent. Wenn Ihr Hund von verschiedenen Menschen verschiedene Botschaften erhält, verwirrt ihn das. Schlimmer noch: Da es zwei (oder mehr) Regeln zu geben scheint, beschließt er vielleicht, keiner dieser Regeln Folge zu leisten. Es ist wichtig, vernünftige Verhaltensregeln festzulegen und dann dafür zu sorgen, dass auch jedes andere Familienmitglied auf deren Einhaltung achtet. Wenn Sie z. B. nicht wollen, dass Ihr Hund aufs Sofa springt, dann sollte die ganze Familie dafür sorgen, dass er es nicht tut. Außerdem ist es wich-

Wenn dieser Kelpie-Labrador-Mischling regelmäßig das Kommando »Aus!« zu hören bekommt, wird er lernen, nicht mehr an Leuten hochzuspringen.

tig, dass Sie Ihre Regeln konsequent durchsetzen. Wenn Sie Ihren Hund am Montag vom Sofa verscheuchen und ihn am Dienstag dort liegen lassen, lernt er rasch, dass er Ihre Regeln nicht zu respektieren braucht.

Bleiben Sie standhaft. Lassen Sie einem Welpen kein aggressives oder ungehöriges Verhalten durchgehen und ermutigen Sie ihn auch nicht dazu. Bei einem Welpen mag es noch niedlich sein, wenn er Ihre Hand ins Maul nimmt oder an Ihnen hochspringt, bei einem ausgewachsenen Hund ist das nicht mehr der Fall.

Bestärken Sie Ihren Hund in richtigem Verhalten. Eltern ermutigen Kinder, das Richtige zu tun, indem sie sie für gutes Benehmen belohnen. Auch Hunde reagieren auf Lob. Sie werden feststellen, dass Ihr Hund viel rascher lernt, wenn er eine positive Rückmeldung bekommt – z. B. ein lobendes Wort, wenn er sofort sitzt, oder ein Leckerli, wenn er auf Kommando zu Ihnen kommt.

Lassen Sie Ihren Hund »arbeiten«. Manche Hunde kommen, wann sie wollen, legen sich hin, wo sie wollen, und ignorieren Sie, wenn ihnen danach ist. Wenn Sie solch einen Hund nicht wollen, sollte er sich einen Teil seiner Belohnung erarbeiten. Auf diese Weise lernt er, dass er sich seine Annehmlichkeiten dadurch verdient, indem er Sie, seinen »Leithund«, erfreut.

Sorgen Sie z. B. dafür, dass Ihr Hund sich an der Haustür erst setzt, bevor Sie ihn nach draußen lassen. Sagen Sie ihm, er soll sich setzen und warten, während Sie ihm seinen Futternapf hinstellen. Sorgen Sie dafür, dass er sich setzt oder hinlegt, bevor Sie ihn streicheln oder bevor er Besucher begrüßt. Belohnen Sie seinen Gehorsam stets mit Lob, Streicheln oder Leckerbissen. Dann lernt Ihr Hund rasch, dass seine Leistung und sein Gehorsam dazu beitragen, dass Sie beide zufrieden sind.

Dominanz entschärfen

Die meisten Hunde freuen sich, wenn sie einen menschlichen Leithund haben. Doch manchmal fordert Sie ein Hund heraus, weil er selbst diese

---

HUNDEBEKANNTSCHAFTEN

Hunde haben ein ausgeprägtes Territorialverhalten und reagieren daher nervös auf fremde Hunde. Deshalb sollten Sie Ihren Hund nicht gerade zu Hause mit einem anderen Hund bekannt machen, denn dort will er sein Revier verteidigen.

Lassen Sie die erste Begegnung auf neutralem Boden, also z. B. im Park, stattfinden. Sie wollen Ihren Hund ja nicht in die Lage bringen, dass er glaubt, sein Revier verteidigen zu müssen. Kennen die Hunde einander erst, können Sie beide mit nach Hause nehmen. Doch respektieren Sie dabei den Status des eigenen Hundes. Lassen Sie ihn zuerst durch die Tür gehen, wenn Sie zu Hause ankommen. Er dreht sich vermutlich um und sieht den Neuankömmling an. Dann wird er ihn wissen lassen, dass er folgen darf. Wenn die Hunde erst befreundet sind, sind keine Konflikte mehr zu erwarten.

Rolle übernehmen will. Möglich sind subtile Signale – indem er sich z. B. auf Ihre Füße legt und sich weigert aufzustehen, wenn Sie sich erheben wollen –, aber auch aggressives Verhalten. Wenn das geschieht, müssen Sie unbedingt versuchen, den Hund unter Kontrolle zu bekommen. Sie müssen ihm klarmachen, dass Sie das Sagen haben, ohne ihn jedoch dabei zu provozieren. Sie dürfen nicht zu schnell vorgehen, denn sobald ein Hund dominantes Verhalten an den Tag legt, fasst er oft jede Opposition als Provokation auf und verteidigt seine Position noch hartnäckiger. Ihr Ziel sollte es sein, Ihre Führungsrolle allmählich wieder durchzusetzen, während Sie der Neigung Ihres Hund zu aggressivem Verhalten Einhalt gebieten.

Geben Sie Ihrem Hund weniger Eiweiß. Manche Hunde nehmen zu viel Eiweiß zu sich. Eiweiß ist ein Energielieferant, und bei Hunden mit dominantem Charakter kann zu viel Energie zu Konflikten führen. Achten Sie bei Hundefutter auf einen Eiweißgehalt von unter 20 Prozent.

Sorgen Sie für Bewegung. Durch Bewegung baut Ihr Hund überschüssige Energie ab, was wiederum seine Neigung dämpft, eine Führungsrolle zu übernehmen. Außerdem setzt Bewegung Endorphine frei. Das sind beruhigende Eiweißstoffe im Gehirn, die dazu beitragen, dass Ihr Hund besser gelaunt ist. Sorgen Sie dafür, dass Ihr Hund jeden Tag mindestens zwanzig Minuten spazieren geht oder sich anders verausgabt. Große Hunde oder Hunde, die ungewöhnlich aktiv sind, vertragen noch sehr viel mehr.

Vermeiden Sie Konfrontationen. Es gibt zwei Situationen, die bei Hunden, die zu dominantem Verhalten neigen, häufig zu einer Konfrontation führen. Erstens, wenn es um seine Lieblingsgegenstände geht: Bis Ihr Hund den angemessenen Platz in Ihrer Familie gefunden hat, nehmen Sie ihm besser kein Spielzeug oder

Dieser Yorkshireterrier hat gelernt, sich erst zu setzen und auf Frauchens Erlaubnis zu warten, bevor er sein Futter zu sich nimmt.

andere Gegenstände weg, die er als sein Eigen betrachtet – zumindest nicht gerade, wenn er zuschaut. Zweitens, wenn Ihr Hund auf etwas reagiert, was er als Bedrohung empfindet: Dominante Hunde können oft keine Überraschungen vertragen, also stören Sie ihn nicht, wenn er schläft, und nähern Sie sich ihm auch nicht plötzlich von hinten.

Auch wenn es als Leithund Ihre Aufgabe ist, Kommandos zu geben, ist nichts daran auszusetzen, wenn Sie bei Ihrem Hund auch mal die Zügel locker lassen, während Sie ihm Gehorsam beibringen. Eine offene Konfrontation bestätigt ihn in seiner Entschlossenheit vielleicht nur, wohingegen kleinere Korrekturen in Ihrer Beziehung längerfristig mehr Erfolg haben.

Üben Sie mit ihm Gehorsam. Kommandos, denen Ihr Hund gehorchen muss, sind gut geeignet, um Ihre Führungsrolle durchzusetzen und Ihren Hund dazu zu bringen, diese auch zu respektieren. Sie müssen Ihren Hund nicht jeden Tag stundenlang drillen. Sie sollten nur dafür sorgen, dass Ihr Hund einfache Kommandos wie »Sitz!«, »Aus!«, »Bei Fuß!« und »Komm!« befolgt, und diese Befehle zweimal am Tag zehn bis fünfzehn Minuten lang üben. Sobald Ihr Hund während dieser Übungen Ihre Kommandos be-

Diese Deutschen Schäferhunde akzeptieren die Führungsrolle ihrer Besitzerin und lassen sie das Tempo ihrer Spiele bestimmen.

Sie entscheiden auch, was gespielt wird. Die besten Spiele sind die, bei denen Sie die Kommandos geben, die also Ihre Führungsrolle betonen. Wenn Sie z. B. einen Ball werfen, sollten Sie dafür sorgen, dass Ihr Hund den Ball fallen lässt, sobald er ihn wiedergebracht hat. Ruppige Spiele wie Balgen oder Tauziehen sollten Sie vermeiden. Diese Aktivitäten führen oft zu aggressivem Verhalten, weil Ihr Hund als Ihr Gegner auftritt. Wenn ein von Natur aus dominanter Hund ein solches Spiel gewinnt, könnte er glauben, dass er kurz davor ist, Sie als Leithund abzulösen.

Tricksen Sie ihn aus. Sie haben einen entscheidenden Vorteil: Sie sind klüger als er. Das heißt, dass Sie es nicht immer auf eine Konfrontation ankommen lassen müssen – manchmal hilft ein kleiner Trick. Wenn Ihr Hund z. B. mit einem Schuh von Ihnen verschwindet und aggressiv reagiert, wenn Sie versuchen, ihn wiederzubekommen, können Sie ihn mit einem Spielzeug oder einem Leckerbissen ablenken. Wenn Ihr Hund daraufhin den Schuh fallen lässt, schieben sie ihn unauffällig mit dem Fuß außer Sichtweite.

folgt, wird er sie wahrscheinlich auch sonst befolgen. Sie können diese Kommandos einsetzen, um ihn zu veranlassen, sich Spielzeug, Leckerbissen oder Zeit mit Ihnen zu verdienen.

Geben Sie das Tempo vor. Ihre Führungsrolle müssen Sie rund um die Uhr wahrnehmen, selbst wenn Sie und Ihr Hund spielen. Das bedeutet, dass Sie entscheiden, wann das Spiel beginnt und endet. Sie entscheiden auch, ob es ein lebhaftes Spiel wird oder ob er sich beherrschen muss. Wenn das Spiel zu Ende ist, nehmen Sie das Bällchen in die Hand und gehen nach Hause. Er wird lernen, Ihnen zu folgen.

Mehrere Hunde im Haus

Am besten funktioniert das Zusammenleben, wenn der Mensch die Führungsrolle innehat und der Hund dies respektiert. Das gilt vor allem für einen Haushalt mit mehreren Hunden.

In jeder Gemeinschaft von Hunden gibt es eine feste Rangordnung. Es gibt einen Leithund und alle anderen kennen ihren Platz. Normalerweise findet jeder Hund selbst heraus, wie diese Hierarchie aufgebaut ist. Doch manche Hundebesitzer erschweren ihren Hunden dies, weil sie versuchen, alle ihre Hunde gleich zu behandeln. Das löst bei den Hunden Stress aus und führt zu Rangkämpfen.

Sie können in einem Haushalt mit mehreren Hunden zur Stabilität des Sozialgefüges beitragen, indem Sie herausfinden, wer der Leithund ist, und dann dessen Stellung respektieren. Beobachten Sie die Hunde und stellen Sie fest, was für den Einzelnen wichtig ist – dem einen sind Streicheleinheiten, dem anderen ist das Fressen wichtiger. Dann beobachten Sie, welcher Hund das, was ihm am wichtigsten ist, vernachlässigt, sobald sich ein anderer Hund nähert. Normalerweise ist der, der sich nicht stören lässt, der Leithund.

Sobald Sie den Leithund bestimmt haben, sollten Sie stets die Hackordnung beachten.

Dieser Zwergschnauzer ist der Leithund in der Familie, also darf er zuerst fressen. Als rangniederer Hund frisst der Zwergpudel etwas später.

Das heißt, Sie sollten dem Leithund am meisten Aufmerksamkeit widmen. Geben Sie ihm z. B. vor allen anderen etwas zu fressen und begrüßen Sie ihn zuerst, wenn Sie nach Hause kommen. Für ihn sind diese Privilegien selbstverständlich – und für die anderen Hunde auch.

Wenn zwei Hunde sich nicht verstehen, müssen Sie allerdings eingreifen. Gerlind Wagner aus Berlin machte diese Erfahrung, als sie Daisy, einen sechs Monate alten Terriermischling, mit nach Hause brachte. Ihre andere Hündin, ein zwei Jahre alter Kelpiemischling namens Penny, teilte ihre Besitzerin gern mit dem Neuankömmling. Daisy hatte jedoch etwas dagegen, dass ihr Frauchen sich auch um Penny kümmerte. Immer wenn Frauchen versuchte, die ältere Hündin zu streicheln, stupste Daisy sie beiseite. Außerdem fing Daisy an, die Ruheplätze von Penny zu beanspruchen und ständig mit ihr zu balgen. Penny wehrte sich nie gegen Daisy, und Gerlind Wagner griff nicht ein. Nach fünf Monaten, in denen Daisy die ältere Hündin ständig drangsaliert hatte, bat Gerlind Wagner erfahrene Hundebesitzer um Rat. Sie empfahlen ihr, ihre Nachsicht aufzugeben und Daisy sofort zurückzuhalten, wenn sie wieder anfinge, ruppig zu werden. Sie sollte jedes Mal, wenn sie Penny bedrängte, »Nein« sagen und die aggressive Hündin von ihrem Opfer fern halten. Mehr war nicht nötig. Daisy ist immer noch etwas aufdringlich, aber sie hat gelernt, dass man ihr aggressives Verhalten nicht durchgehen lässt.

KAPITEL ACHTZEHN

WIDERSPRÜCHLICHE BOTSCHAFTEN

Was Hunde hören, ist nicht immer das, was Menschen sagen. Doch wenn Sie wissen, wie Missverständnisse entstehen, können Sie auch lernen, sie zu vermeiden.

Wir verbringen viel Zeit mit unseren Hunden und lernen sie meist auch gut kennen. Dennoch, wir müssen uns trotzdem immer wieder klarmachen, dass Mensch und Hund ganz unterschiedliche Kommunikationssysteme benutzen. Deshalb senden wir trotz guter Vorsätze manchmal widersprüchliche Botschaften. Wir sagen unseren Hunden etwas, meinen jedoch etwas ganz anderes.

Ihr Hund bellt im Garten munter vor sich hin. Wahrscheinlich werden Sie irgendwann den Kopf zur Terrassentür hinausstrecken und rufen: »Ruhe!«, woraufhin Ihr Hund erst recht weiterbellt – und vermutlich noch lauter als zuvor. Das ist ein Fall von wi-

Lautstärke hat für Hunde nicht dieselbe Bedeutung wie für Menschen. Deshalb bellt ein Hund vielleicht nur noch lauter, wenn wir ihn anschreien, dass er mit dem Bellen aufhören soll.

dersprüchlichen Botschaften. Sie glauben, Ihre Botschaft sei klar. Doch Ihr Hund interpretiert Ihr Rufen vermutlich so: »Toll, mein Herrchen bellt auch, jetzt können wir gemeinsam bellen.«

Solche Missverständnisse müssen nicht sein. Wenn Sie erst einmal verstanden haben, wie Ihr Hund denkt, wissen Sie auch, wie Sie sich ihm verständlich machen müssen.

Unterschiedliche Körpersprache

Mensch und Hund verstehen einander oft deshalb falsch, weil sie die Körpersprache des anderen unterschiedlich deuten. Handbewegungen, Haltung und Mimik haben für Menschen und Hunde jeweils eine ganz andere Bedeutung. Nehmen wir das Lächeln. Bei Menschen ist es ein Zeichen von Freude. Doch Hunde »lächeln« meist nur dann, wenn sie aggressiv sind, und sie gehen davon aus, dass andere es aus demselben Grund tun. Ihre gut gemeinte Begrüßung wird deshalb vermutlich kühl aufgenommen.

Das bedeutet jedoch nicht, dass Sie Ihren Hund mit starrem Gesicht begrüßen sollen. Hunde verstehen ihre Besitzer oft besser, als diese glauben, und sie lernen, menschliche Signale zu deuten, selbst wenn sie sich von ihren eigenen unterscheiden. Wenn Sie aber auf der Straße einem fremden Hund begegnen, sollten Sie sich das Lächeln besser für später aufheben, wenn der Hund weiß, wer Sie sind.

Das Gleiche gilt für Blickkontakt. Bei Menschen ist er ein Zeichen der Höflichkeit und des Selbstbewusstseins. Menschen, die den Blickkontakt meiden, wirken unsicher oder unaufrichtig. Das ist bei Hunden ganz anders. Direkter Blickkontakt wird bei ihnen oft als Herausforderung oder als Aggression gedeutet. Ein Hund, der einen anderen Hund anstarrt, sagt: »Ich habe hier das Kommando!« Wenn der andere ein friedliebender Hund ist, wird er daraufhin den Blick abwenden. Wenn er es auf eine Auseinandersetzung ankommen lassen will, starrt er zurück. Das bedeutet, dass er sich nicht zurückziehen will und zum Kampf bereit ist.

Hunde können natürlich lernen, dass der Blickkontakt von Menschen ein gutes Zeichen ist, doch das braucht Zeit. Wenn Sie einen Hund begrüßen, den Sie noch nicht gut kennen, wollen Sie ihn ja nicht provozieren. Tun Sie dies unbeabsichtigt doch, wird er Ihnen bestenfalls nicht trauen, im schlimmsten Fall beißt er Sie vielleicht. Es ist daher besser, bei der Begrüßung eines Hundes den Blick abzuwenden. Das gibt dem Hund Gelegenheit, sich Ihnen zu nähern und Sie kurz zu beschnuppern, ohne dass er sich bedroht fühlt. Sobald Sie einander kennen, ist ein direkter Blick in Ordnung, weil der Hund gelernt hat, darüber hinwegzusehen, dass Menschen nicht alle Hunderegeln kennen.

Mit unserer Körperhaltung senden wir ebenfalls oft falsche Signale. Die meisten Menschen reden viel mit den Händen oder stehen aufrecht da und breiten in einer herzlichen Geste beide

Dieser Irish Wolfhound hat es gern, wenn man ihn bei der Begrüßung nicht direkt ansieht und sich ihm langsam und ruhig nähert.

Arme aus. Einen Hund können diese ausladenden und raschen Gesten abstoßen, weil sich Hunde so nicht begrüßen. Sie sind nicht so direkt. Sie nähern sich Fremden von der Seite und bewegen sich langsam. Darum schrecken Hunde oft zurück, wenn sich ihnen jemand rasch und sehr energisch nähert. Ihre spontane Freude kann leicht bedrohlich wirken, zumindest dann, wenn der Hund Sie noch nicht gut kennt.

Persönlicher Freiraum

Wenn es an der Zeit ist, sich zu räkeln und es sich gemütlich zu machen, sind Hunde nicht schüchtern und suchen sich ein schönes Plätzchen. Ein weicher Teppich mitten im Zimmer ist da gerade richtig. Auch ein bequemes Ledersofa oder ein warmes Bett in kalten Winternächten erfüllt seinen Zweck. Sobald sich ein Hund an einem solchen Platz niedergelassen hat, erhebt er sich nur ungern wieder. Darum steigen Hundebesitzer so oft über ihren Hund, machen einen Bogen um ihn oder quetschen sich an die Bettkante, während sich ihr Hund genüsslich breit macht.

Schlafende Hunde sollte man zwar wirklich nicht unbedingt wecken, doch man sollte auch nicht zulassen, dass sie Plätze mit Beschlag belegen, die Menschen vorbehalten sind. Viele Hundehalter machen den Fehler, in diesem Punkt zu nachgiebig zu sein. Sie wollen sicher Ihrem Hund nur etwas Gutes gönnen, wenn Sie ihm gestatten, es sich gemütlich zu machen, oder einen Schritt beiseite gehen, wenn er sich im Flur an Ihnen vorbeidrängelt. Doch der Hund gewinnt dabei den Eindruck, dass er größeren Respekt genießt als Sie.

Hunde sind sehr rangbewusst. Der Leithund bekommt den besten Schlafplatz, frisst und trinkt zuerst und erwartet, dass andere Hunde sich nach ihm richten. Rangniedrigere Hunde gehorchen bereitwillig demjenigen, der ihrer Meinung nach einen höheren Status hat. Wenn sie jedoch glauben, dass sich das Gleichgewicht der Kräfte eher zu ihren Gunsten verschiebt, sind sie nicht mehr so entgegenkommend.

Wenn Sie also einen Bogen um Ihren Hund machen, anstatt ihm zu sagen, er solle Platz machen, und wenn Sie ihm erlauben, in Ihrem Bett zu schlafen, oder zulassen, dass er Sie auf dem Weg zur Tür beiseite schiebt, gewinnt er den Eindruck, er sei der Leithund. Was aus Ihrer Sicht als schlichte Freundlichkeit begann, wird

Nicht nur große Hunde versuchen gelegentlich, Herr im Haus zu sein. Dazu sind auch kleine Hunde wie dieser Mops fähig – vor allem, wenn man ihnen erlaubt, das Mobiliar in Beschlag zu nehmen.

von Ihrem Hund als Zeichen gedeutet, dass er das Kommando übernehmen soll. Das kann sogar in Familien vorkommen, in denen Hunde nicht auf dem Sofa oder dem Sessel schlafen. Ein Hund, der z. B. in einem Durchgang schläft und sich nicht rührt, wenn Sie sich nähern, probiert aus, wie weit er gehen kann. Sie überlegen nicht lange und machen einen Schritt über ihn hinweg, doch mit der Zeit wird er zu der Ansicht gelangen, dass Sie sich ihm unterwerfen und dass er in der Hierarchie aufsteigt.

Diese unterschiedlichen Perspektiven zu erkennen ist wichtig, weil Hunde, die versuchen, bestimmte Plätze für sich zu beanspruchen, dies vielleicht auch auf anderen Gebieten probieren. Es hat alles mit Respekt zu tun: Sie würden auch nicht im Weg stehen bleiben, wenn sich eine von Ihnen verehrte Persönlichkeit nähert, also sollte Ihr Hund sich auch so verhalten.

Lautsignale

Hunde verstehen die Art und Weise, wie Menschen mit ihnen reden, oft falsch. Es fällt ihnen nicht leicht, die Wörter zu verstehen, also achten sie auf andere Signale, z. B. auf Höhe und Tonfall der Stimme. Das bedeutet, dass Sie Stimmhöhe und Tonfall dem Inhalt Ihrer Botschaft anpassen sollten. Menschen mit einer hohen Stimme sollten besonders darauf achten, energisch zu klingen, wenn sie ihrem Hund etwas befehlen – sonst glaubt der Hund möglicherweise, dass er dem Kommando nicht gehorchen muss. Menschen mit einer tiefen Stimme fällt es dagegen oft nicht leicht, so hoch zu sprechen, dass sie bei einem Lob Anerkennung mitschwingen lassen können.

Es verwirrt Hunde außerdem, wenn Menschen den falschen Tonfall wählen. Wenn Sie

Am effektivsten sind Worte, wenn man sie im richtigen Tonfall ausspricht. Dieser Boxer weiß, dass die ernste Stimme seines Besitzers Tadel bedeutet.

z. B. einen Befehl in Frageform formulieren und am Ende des Satzes automatisch die Stimme heben, erkennt Ihr Hund möglicherweise nicht, dass Sie etwas Bestimmtes von ihm wollen. Wenn Sie hingegen zu streng mit ihm sprechen, hat er vielleicht das Gefühl, dass Sie böse auf ihn sind, und reagiert auch nicht sofort auf Sie.

Häufig sorgt auch eine immer gleich bleibende Tonlage der Stimme für Verwirrung. Wenn Sie Ihren Hund z. B. in demselben kräftigen, sachlichen Tonfall loben, mit dem Sie Befehle geben, erkennt er vermutlich nicht, dass er etwas richtig gemacht hat. Sie sollten ihn mit hoher, fröhlicher Stimme loben, die ihm klarmacht, dass er Ihnen eine Freude gemacht hat.

Klare Botschaften übermitteln

Wenn Sie begriffen haben, wie Hunde denken, ist es normalerweise nicht schwierig, so zu reden und sich so zu verhalten, dass Ihr Hund Sie versteht. Geben Sie sich ein wenig Mühe, es lohnt sich! Denn sosehr Ihr Hund auch versucht, es Ihnen recht zu machen – die menschliche Gesellschaft ist für ihn oftmals sehr verwirrend. Wenn Sie sich klar und deutlich ausdrücken und ihm genau sagen, was Sie von ihm erwarten, wird er selbstbewusster werden und Ihre Anweisungen eher befolgen.

Seien Sie konsequent. Hunde sehen sich ständig mit inkonsequentem Verhalten konfrontiert. An einem Tag verscheuchen wir sie vom Tisch, wenn sie betteln, am nächsten Tag sagen wir »ausnahmsweise«. Widersprüchliche Botschaften haben nicht nur sehr viel Verwirrung zur Folge, sondern auch bettelnde Hunde. Am ehesten vermeidet man Kommunikations-

111

Der Shiba-Inu versteht, dass er etwas richtig gemacht hat, weil er sofort gelobt wird, wenn er den Ball fallen lässt.

fehler, wenn man konsequent bleibt. Wenn Sie nicht möchten, dass Ihr Hund am Tisch bettelt, dürfen Sie ihm dort auch nichts geben – niemals! Wenn Sie nicht wollen, dass er auf dem Sofa liegt, sagen Sie »Runter!« und setzen dies auch durch. Benutzen Sie jedes Mal dasselbe Kommando.

Loben Sie häufig. Hunde verstehen die menschliche Sprache nicht besonders gut und können auch keine Hausordnung lesen. Es ist schwierig für sie zu wissen, was sie dürfen und was nicht. Darum ist es wichtig, dass Sie Ihren Hund ausgiebig loben, wenn er etwas richtig macht. Macht Ihr Hund Ihnen Platz, wenn Sie zur Tür gehen, sagen Sie ihm, dass er ein guter Hund ist. Kraulen Sie ihm den Kopf, wenn er auf Kommando zu Ihnen kommt, und geben Sie ihm einen Leckerbissen, wenn er mit dem Bellen aufhört, wenn Sie es ihm sagen. Dabei spielt es keine Rolle, ob das Lob aus einem freundlichen Wort, einem Kraulen oder einem Hundekeks besteht. Ihr Hund versteht die Bot-

schaft. Er erkennt, dass Sie seine Bemühungen zu schätzen wissen, und das gefällt jedem Hund.

Loben Sie sofort. Es fällt Hunden nicht leicht, eine Verbindung herzustellen zwischen dem, was Sie sagen, und den Sachverhalten, auf die sich die Worte beziehen. Die Verhaltensforschung sagt, dass Sie nur etwa drei Sekunden Zeit haben, in denen Ihr Hund diese Verbindung herstellen kann. Lob muss also stets sofort erfolgen.

Zeigen Sie Ihrem Hund, was Sie wollen. Es ist auch für Menschen frustrierend, wenn man gesagt bekommt, dass man etwas Bestimmtes tun soll, aber nicht versteht, was. Hunden passiert das ständig. Hunde erkennen zwar an Ihrem Tonfall, dass Sie etwas von ihnen wollen, aber sie haben keine Ahnung, was das sein könnte. Am schnellsten überwindet man dieses Sprachhindernis, indem man seinem Hund zeigt, was man will. Wenn Sie sehen, dass Ihr Hund drauf und dran ist, etwas falsch zu machen, zeigen Sie ihm, wie es richtig ist.

Ein Beispiel: Wenn Sie den Eindruck haben, dass Ihr Hund kurz davor ist, auf Ihrem Teppich sein Geschäft zu verrichten, führen Sie ihn nach draußen und loben Sie ihn dafür, dass er sich den richtigen Ort ausgesucht hat. Rührt er sich nicht, wenn Sie ihn dazu auffordern, schieben Sie ihn sanft aus dem Weg. Wenn er dort schnüffelt, wo er es nicht soll, machen Sie einen Schritt auf ihn zu und befehlen ihm aufzuhören oder geben ihm das Kommando: »Aus!« Indem Sie Kommandos mit dem entsprechenden Nachdruck geben, verstehen Hunde viel eher, was Sie wollen.

KAPITEL NEUNZEHN

DIE ZEHN HÄUFIGSTEN VERSTÄNDIGUNGSPROBLEME

Die meisten Verhaltensprobleme bei Hunden sind lediglich die Folge von Missverständnissen. Wenn Sie erst einmal gelernt haben, die Hundesprache zu verstehen und sich selbst hundegerecht auszudrücken, lassen sich die meisten Probleme lösen.

Mensch und Hund leben seit Tausenden von Jahren zusammen und verstehen einander meist relativ gut. Hin und wieder erleben wir dennoch Situationen, in denen die Kommunikation scheitert. Unser Hund versteht nicht, was wir von ihm wollen, oder, was genauso häufig vorkommt, wir vermitteln ihm Botschaften, die wir gar nicht beabsichtigt haben.

Kommunikationsprobleme nehmen manchmal überraschende Formen an, und nicht immer ist es leicht, sie richtig einzuordnen. Angenommen, Ihr Hund zerkaut Ihre Schuhe. Dann benimmt er sich nicht einfach nur daneben, sondern will Ihnen damit vielleicht etwas sagen – was, das hängt von dem Hund und der Situation ab. Hunde, die sehr viel Zeit allein verbringen, zerkauen manchmal Gegenstände, weil sie das Gefühl von Einsamkeit oder Frustration zerstreuen wollen. Andere Hunde zerkauen etwas, weil sie den Unterschied zwischen Herrchens oder Frauchens Besitz und ihrem eigenen nicht erkennen. Wieder andere tun es ganz einfach, weil es ihnen Spaß macht.

Mit anderen Worten: Mensch und Hund sprechen nicht dieselbe Sprache, und bis wir die Sprache des anderen zumindest ein wenig besser beherrschen, werden wir unweigerlich Kommunikationsprobleme haben. Auf den ersten Blick fällt es schwer zu glauben, dass das ärgerliche Zerkauen von Gegenständen, das nervtötende Ziehen an der Leine oder der See auf dem Teppich in einem Zusammenhang mit misslungener Kommunikation stehen. Und doch ist genau dies häufig der Fall.

Feste Regeln sind notwendig, um Verwirrung zu vermeiden. Wenn Ihr Hund nicht aufs Bett soll, dürfen Sie ihn nicht ein einziges Mal hinauflassen.

In vielen Fällen lassen sich diese Probleme durch ein wenig Einfühlungsvermögen von unserer Seite leicht lösen. Wir wollen Ihnen helfen, besser zu verstehen, warum Ihr Hund bestimmte Dinge tut, und einige der häufigsten – um nicht zu sagen, lästigsten – Hindernisse auf dem Weg zur Harmonie zwischen Mensch und Hund zu überwinden.

Aggressives Verhalten

Einige Hunde wissen, was sie wollen, und setzen es auf aggressive Art und Weise durch. Sie stupsen ihre Besitzer, um Aufmerksamkeit zu erregen. Sie beanspruchen bestimmte Plätze im Haus für sich und lassen sich von dort nicht verscheuchen. Sie bestehen darauf, zu spielen oder gekrault zu werden, und akzeptieren kein Nein. Im Grunde genommen wollen sie das Sagen haben. Aggression kann aber ernste Formen annehmen. Es ist nicht ungewöhnlich, dass Hunde knurren oder brummen – manchmal auch bei-

HILFERUF

Auch wenn aggressives Verhalten nicht unbedingt schwieriger zu ändern ist als andere Verhaltensauffälligkeiten, hat man dort weniger Spielraum. Ein Hund, der seine Lektion nicht rasch lernt, beißt oder bedroht andere Leute, und das kann gefährlich werden. Darum empfehlen Experten, schon bei den ersten Zeichen von Aggressivität einen Hundeausbilder oder Tierarzt um Hilfe zu bitten.

ßen –, um ihren Willen durchzusetzen. Ein derartiges Verhalten legt ein Hund nicht von selbst wieder ab. Und es ist ein gar nicht so seltenes Phänomen: Unerwünschte Aggressivität ist das häufigste Verhaltensproblem, mit dem Hundehalter bei Ausbildern und Tierärzten Rat suchen.

Unverhältnismäßige Aggression ist ein komplexes Problem, weil sie so viele Ursachen haben kann. Einige Hunde haben einfach einen dominanten Charakter. Selbst wenn sie nie wirklich gefährlich werden, versuchen sie stets, ihren Willen durchzusetzen. Andere Hunde sind möglicherweise unsicher oder wütend. Sie sind diejenigen, die am ehesten knurren oder beißen.

Sie erfahren eine Menge über die Persönlichkeit Ihres Hundes, wenn Sie beobachten, wie er seine aggressiven oder dominanten Neigungen zum Ausdruck bringt. Normalerweise bedeuten die Signale Folgendes:

Hey, rede mit mir. Ziemlich viele Hunde neigen dazu, ihren Besitzer sanft zu stupsen oder ihm einen Schnauzenstoß zu versetzen, weil sie ein wenig Aufmerksamkeit möchten. Solch ein Verhalten ist normalerweise nicht weiter problematisch, solange der Hund sich sonst nicht aufdringlich verhält.

Ich will die Kontrolle. Wenn ein Hund die Menschen ständig stupst, sich beim Spielen ruppig verhält, sich stets den besten Platz auf dem Sofa sichert oder sich weigert, Platz zu machen, nimmt Aggression schon ernstere Formen an. Dieser Hund will die Macht an sich reißen und unternimmt die notwendigen Schritte, um seinen Vorteil auszubauen. Wenn Sie dem nicht sofort Einhalt gebieten, wird sich der Hund weiter dominant verhalten und zunehmend aufdringlicher und schwerer zu bändigen sein.

Dieser Labrador-mischling spielt gern Frisbee, wetteifert dabei jedoch nicht mit seinem Besitzer. Spiele dieser Art verhindern, dass ein Hund versucht, andere Familienmitglieder zu dominieren.

Da Beißen, Knurren und andere Formen aggressiven Verhaltens gefährliche Folgen haben können – nicht nur für Sie, sondern auch für andere –, tun Sie gut daran, einen Hunde-ausbilder um Hilfe zu bitten. Die Erfolg versprechenden Methoden, einen Hund »zurückstufen« und kooperativer zu machen, sind aber auch ohne professionelle Hilfe leicht anzuwenden.

Wählen Sie z. B. Aktivitäten aus, bei denen Sie und Ihr Hund gemeinsam etwas tun: Werfen Sie Bällchen oder gehen Sie einfach nur mit ihm spazieren. Spiele wie Tauziehen dagegen bedeuten Wettbewerb, was dem Wunsch eines Hundes, die Oberhand zu behalten, nur Vorschub leistet.

Revier und Besitz können einem Hund sehr viel bedeuten, daher gehört zu aggressivem Verhalten oft auch, dass der Hund das Sofa oder den Sessel in Beschlag nimmt und sich weigert, ihn wieder aufzugeben. Für den Hund ist das Sofa oder der Sessel ein bevorzugter Platz. Indem Sie ihn davon fern halten, begreift er, dass seine Stellung innerhalb der Familie niedriger ist als Ihre.

Türöffnungen stellen ebenfalls eine Art Statussymbol dar, und Sie sollten dafür sorgen, dass Ihr Hund immer nach Ihnen und nicht vor Ihnen durch die Tür geht. Außerdem sollten Sie

SCHON GEWUSST?

Warum mögen Hunde Tauziehen?

Mit Herrchen oder Frauchen Tauziehen veranstalten – mit der Leine, Stöcken oder anderen Gegenständen – ist das Lieblingsspiel vieler Hunde. Warum gefällt es ihnen so gut?

Das Tauziehen appelliert an die Konkurrenzkampf-Instinkte eines Hundes, sagt die Verhaltensforschung. In der Wildnis ist das dominante Tier immer als erstes an der Reihe, auch beim Fressen. Doch Tiere wetteifern ständig miteinander, um festzustellen, wer das dominante Tier ist. Ein rangniederes Mitglied eines Rudels, das versucht, dem Leithund etwas zu fressen wegzunehmen, fordert damit eine Auseinandersetzung heraus. Der Gewinner bekommt etwas zu fressen und nimmt in der Gemeinschaft den obersten Platz ein.

Darum empfehlen Hundeausbilder, mit Hunden kein Tauziehen oder andere Zerrspiele zu veranstalten. Verliert der Hundebesitzer, ist er für den Hund wahrscheinlich nicht mehr der Leithund. Das kann zu weiteren Problemen führen. Dennoch haben viele Hundehalter und ihre Vierbeiner Spaß beim Tauziehen, und wenn es richtig gemacht wird, hat dies auch keine negativen Folgen. Jeder Hundebesitzer sollte dafür sorgen, dass er gewinnt. Wenn der Hund aufgrund seiner Kraft und Hartnäckigkeit zum Gewinnen neigt, sollte man lieber Fangen mit ihm spielen. Dabei muss der Hund zwar gehorchen, hat aber dennoch seinen Spaß.

ihm nicht erlauben, sich vor eine Tür oder eine Treppe zu legen. Ihr Hund sollte Ihnen gern den Weg frei machen, nicht umgekehrt.

Unternehmen Sie mit Ihrem Hund lange Spaziergänge und führen Sie regelmäßig Gehorsamsübungen durch, dann bekommen Sie sein aggressives Verhalten meist gut unter Kontrolle. Sie stärken dadurch das Band zwischen Ihnen und Ihrem Hund und untermauern Ihre Führungsrolle. Außerdem machen diese Übungen Ihren Hund müde, und ein müder Hund ist selten aggressiv.

Machen Sie Ihrem Hund deutlich, dass er sich Ihre Aufmerksamkeit verdienen muss. Geben Sie ihm nichts – Futter, Zuwendung oder andere Dinge –, ohne dass er zuvor etwas für Sie getan hat. Sorgen Sie dafür, dass er sich setzt, bevor Sie nach draußen gehen, oder üben Sie andere Kommandos, bevor Sie ihm den Napf füllen.

Bellen

Niemand hat gegen ein kurzes Gebell etwas einzuwenden, doch einige Hunde haben schrecklich viel zu erzählen. Sie bellen einfach alles an – Radfahrer, Katzen oder Gardinen, die beiseite geschoben werden. Oder aber sie bellen in regelmäßigen Abständen immer wieder – offenbar nur, weil sie ihre eigene Stimme hören wollen.

Übermäßiges Bellen ist ein häufig auftretendes Verhaltensproblem. Und ein schwer wiegendes, vor allem weil es für andere Hausbewohner und Nachbarn eine Zumutung sein kann. Nicht selten endet der Streit um einen ständig bellenden Hund sogar vor Gericht. Einen Hund anzuschreien hilft jedenfalls überhaupt nicht – er wird nur glauben, man belle zurück.

Dieser Jack-Russell-Terrier bellt, weil er möchte, dass sein Besitzer sich um etwas kümmert. Sobald er Antwort bekommt, wird er aufhören zu bellen.

Bellen kann ein hartnäckiges Problem sein. Zum einen ist Bellen für Hunde etwas ganz Natürliches, zum anderen ist die Ursache dafür häufig schwer herauszufinden. Die wichtigsten Beweggründe, die Hunde zum Bellen animieren, sind:

Es kommt jemand! So wie ihre Besitzer, die Menschen, haben auch Hunde ein ausgeprägtes Territorialverhalten. Doch anstatt Zäune zu errichten, kontrollieren sie die Einhaltung der Grenzen durch Bellen. Das ist zwar hilfreich, wenn Sie wissen möchten, ob jemand Ihr Grundstück betritt, kann jedoch eine Plage sein, wenn alles und jeder angebellt wird.

Wenn Ihr Hund jeden als Eindringling betrachtet, sollten Sie versuchen, ihn abzulenken. Wenn Sie z. B. den Briefträger kommen sehen, sollten Sie Ihren Hund beschäftigen, indem Sie ihn sich wiederholt setzen und wieder aufstehen lassen. Dieses Spielchen treiben Sie so lange, bis der »Grenzverletzer« wieder verschwunden ist.

Vergiss nicht, ich bin auch noch da. Manche Hunde bellen gerade dann noch lauter, wenn ihre Besitzer telefonieren wollen oder mit etwas anderem beschäftigt sind und ihren Hund nicht weiter beachten. Dem lässt sich ebenfalls leicht abhelfen. Ausbilder empfehlen, den Hund

SPRICH JETZT!

Bellen ist für Hunde so natürlich wie für Menschen das Reden. Es ist für Hunde schwer zu begreifen, dass Sie es ihnen abgewöhnen wollen. Darum wählen Ausbilder oft eine andere Methode. Sie versuchen nicht, dem Hund das Bellen abzugewöhnen, sondern bringen ihm bei, wann er bellen soll. Wenn man einem Hund beibringt, auf Kommando zu bellen (»Sprich!«), kann man ihn auch dazu bringen, auf Kommando mit dem Bellen aufzuhören.

Zunächst sollten Sie herausfinden, was Sie tun können, um Ihren Hund zum Bellen anzuregen. Vielleicht hilft es schon, wenn Sie mit aufgeregter Stimme reden, auf der Stelle rennen und mit den Armen wedeln oder einfach aufgeregt tun. Wenn Ihr Hund anfängt zu bellen, loben Sie ihn mit »braver Hund« und geben ihm einen Leckerbissen. Üben Sie dies weiter, bis das Kommando allein ihn zum Bellen veranlasst.

Sobald Ihr Hund auf Kommando bellt, ist es an der Zeit, ihm beizubringen, auf Kommando damit auch wieder aufzuhören. Geben Sie das Kommando, das ihn zum Bellen veranlasst. Wenn er dann einmal Luft holt, geben Sie ihm ein Leckerchen und sagen »Still!«. Hunde können nicht gleichzeitig bellen und kauen. Üben Sie so lange weiter, bis Ihr Hund auf Ihr Kommando mit dem Bellen aufhört.

Es geht nicht darum, das Bellen ganz zu unterbinden. Schließlich wollen wir ja, dass unser Hund uns darauf aufmerksam macht, wenn etwas Ungewöhnliches geschieht. Und einige Hunde müssen ihr Gebell einfach loswerden. Doch sie müssen auch auf das Kommando »Still!« hören. Üben Sie einmal am Tag, auf Kommando zu bellen und wieder aufzuhören. Dann kann der Hund seinem natürlichen Drang zu bellen nachgeben und dieses Bedürfnis gleichzeitig kontrollieren.

Hunde wie dieser Viszla können lernen, auf Kommando zu bellen. Wenn Sie bestimmen, wann Ihr Hund bellen darf und wann nicht, wird sich Ihre Beziehung zu Ihrem Hund spürbar verbessern – und die zu Ihren Nachbarn auch.

an die Leine zu legen, wenn Sie sehr beschäftigt sind. Wenn er anfängt zu bellen, ziehen Sie an der Leine, um seine Aufmerksamkeit zu erregen und ihn zu beruhigen. Die meisten Hunde begreifen sehr schnell. Schließlich wird allein die Tatsache, dass Sie Ihren Hund vor einem Telefonat anleinen, für Ruhe sorgen.

Hör mir zu. Hunde fühlen sich von allen möglichen Dingen angesprochen, und sie reagieren darauf, indem sie ihren Besitzern durch Bellen Bescheid geben. Dieses Bellen ist natürlich, und Sie sollten es auch nicht unterbinden. Nehmen Sie sich einen Moment Zeit, um nachzusehen, was los ist. Sobald Ihr Hund Sie sieht, wird er sich weniger verantwortlich für das beunruhigende Phänomen fühlen und vermutlich von selbst mit dem Bellen aufhören.

Um Aufmerksamkeit betteln

Manche Hunde können gar nicht genug Aufmerksamkeit bekommen. Meist handelt es sich dabei um vorsichtige und ängstliche Hunde, die regelmäßig Bestätigung brauchen. Oder aber sie sind es gewohnt, viel Aufmerksamkeit zu bekommen, und wollen immer noch mehr. Es ist schön, wenn Ihr Hund gelegentlich seinen Kopf an Ihrer Hand reibt oder sich neben Sie legt, während Sie sich entspannen. Doch niemand hat es gern, wenn ein Hund zu aufdringlich ist.

Ich bin unsicher. Selbst der unabhängigste Hund hat manchmal Angst – vor Gewitter oder einem Feuerwerk – und braucht dann Aufmerksamkeit. Es ist nichts dagegen einzuwenden, einen ängstlichen Hund ein wenig zu beruhigen, doch Sie sollten auch nicht zu viel Wirbel um ihn machen. Sonst wird er möglicherweise denken, dass es tatsächlich etwas gibt, wovor er Angst haben muss. Und vielleicht gewöhnt er es sich dann auch an, jedes Mal zu Ihnen zu kommen, wenn er nervös ist. Widmet man einem ängstlichen Hund zu viel Aufmerksamkeit, glaubt er, dass es ganz in Ordnung ist, Angst zu haben. Man verstärkt also die Angst sogar noch.

Hundeausbilder empfehlen eine andere Methode. Überlegen Sie, was dem Hund besondere Angst macht. Das kann ein Gewitter, ein Feuerwerk oder auch nur das Rascheln der Zeitung sein. Nach Möglichkeit sollten Sie den Hund an das, was ihm Angst macht, langsam gewöhnen.

Dieser Belgische-Schäferhund-Welpe springt an seinem Besitzer hoch, um dessen Aufmerksamkeit zu erregen. Kommt dies häufig vor, müssen Sie herausfinden, warum Ihr Hund sich so fordernd verhält.

Ein Beispiel: Hunde, die Angst vor Gewitter haben, können lernen, damit besser umzugehen, wenn Sie Gewittergeräusche auf Tonband aufnehmen und diese ganz leise abspielen. Bleibt der Hund währenddessen ruhig und entspannt, wird er dafür belohnt. Bei dieser Übung geht es darum, allmählich den »Angstfaktor« zu senken, indem man die Aufnahme jeden Tag ein wenig lauter abspielt. Zeigt Ihr Hund Anzeichen von Nervosität, stellen Sie wieder leiser. Doch solange er ruhig bleibt, loben und belohnen Sie ihn. Wenn Sie behutsam vorgehen – und das kann Monate dauern –, wird die Nervosität Ihres Hundes allmählich abnehmen und er wird nicht mehr so nach Ihrer Aufmerksamkeit verlangen.

Ich will hier bestimmen. Wenn ein Hund schnell aufdringlich wird, deutet dieses Buhlen um Aufmerksamkeit möglicherweise darauf hin, dass er bestimmen will. Dann muss dieser Hund lernen, dass er sich Ihre Aufmerksamkeit verdienen muss. Wenn er z. B. verlangt, dass Sie ihn streicheln, befehlen Sie ihm, sich erst hinzusetzen oder zu -legen, bevor er seine Zuwendung bekommt. Es ist außerdem sinnvoll, diese Streicheleinheiten knapp zu dosieren. Auf diese Weise lernt Ihr Hund, sich zu entspannen und sich weniger fordernd zu verhalten.

Mir ist langweilig. Hunde, die nicht viel zu tun haben, betteln manchmal um Aufmerksamkeit, nur weil ihnen nichts anderes einfällt. Wenn Sie z. B. zu Hause am Computer arbeiten und Ihr Hund Sie nach ein paar Stunden ständig anstupst, will er Ihnen damit nur sagen, dass er es satt hat, nur herumzuliegen. Sie können von Ihrem Hund nicht erwarten, dass er sich die ganze Zeit selbst beschäftigt. Hunde sind sehr gesellig und möchten mehr als alles andere ihre Zeit mit Ihnen verbringen. Das bedeutet nicht, dass Sie jedem ihrer Wünsche nachgeben sollen. Ein gewisses Quantum an Zeit, in der Sie Ihrem Hund die ungeteilte Aufmerksamkeit widmen, muss aber sein. Wenn Sie jeden Tag mindestens dreißig bis vierzig Minuten mit ihm spazieren gehen oder spielen und sich dann nicht von ihm überreden lassen, sich auch zwischendurch noch mit ihm zu beschäftigen, lernt der Hund abzuwarten, bis er an der Reihe ist.

Um Futter betteln

Es gibt keinen Hund, der nicht ab und zu um ein paar Extraleckerbissen bettelt; doch Hunde, die ständig um Futter betteln oder es stibitzen, wenn gerade niemand hinsieht, sind nicht einfach nur gierig, sondern wollen Ihnen damit etwas sagen.

Ich habe Hunger. Es ist schwer zu glauben, dass ein Hund, der am Tag ein oder zwei reichliche Mahlzeiten zu sich nimmt, so viel Energie aufs Schnorren verwendet. Doch jeder Hund braucht unterschiedlich viel Futter, und es ist durchaus möglich, dass Ihr Hund einfach nur

Wenn Ihr Hund um Futter bettelt, will er damit oft nur Aufmerksamkeit bekommen. Kraulen Sie ihn, anstatt ihm etwas zu fressen zu geben, dann hört er sehr wahrscheinlich auf zu betteln.

Hunger hat. Ziehen Sie das Abendessen ein oder zwei Stunden vor. Oder verteilen Sie die Tagesration auf drei oder vier Mahlzeiten, sodass die Abstände nicht so groß sind. Häufig sind Hunde zufriedener, wenn sie mehrere kleine Mahlzeiten anstelle von einer großen zu sich nehmen.

Beachte mich. Einige Hunde haben ähnlich wie manche Menschen ein seltsames Verhältnis zum Essen. In ihren Augen symbolisiert es Liebe und Geselligkeit und sie betteln um etwas zu essen, obwohl sie eigentlich Aufmerksamkeit wollen. Doch geben Sie Hunden am Tisch nie etwas! Sie wollen ja schließlich nicht, dass Ihr Vierbeiner lernt, dass er ein paar Brocken bekommt, wenn er Sie beim Essen nur lange genug belagert. Belohnt man ein derartiges Verhalten, kann es zur ärgerlichen Angewohnheit werden.

Es gibt eine einfache Methode, die Hunde davon abhält, am Esstisch herumzulungern. Suchen Sie ein Plätzchen aus, wo Ihr Hund sich aufhalten soll, während Sie essen, und von wo aus er Sie sehen kann. Legen Sie ihn an eine sehr lange Leine und führen ihn an das ausgesuchte Plätzchen, dann sagen Sie »Sitz!« und geben ihm eine Belohnung. Wenn Sie das jeden Tag wiederholen, wird er lernen, dass es am einfachsten ist, etwas zu fressen zu bekommen, wenn er von selbst dort hingeht.

Sobald Ihr Hund auf Kommando allein auf seinen Platz geht, bringen Sie ihm bei, sich hinzulegen und dort liegen zu bleiben. Das Kommando »Platz!« einzuüben ist vielleicht ein wenig schwierig, versuchen Sie doch einmal Folgendes: Halten Sie ein Leckerli auf Augenhöhe des Hundes, ziehen Sie es Richtung Boden und dann von ihm weg. Er wird dem Leckerli folgen und

sich automatisch hinlegen. Geben Sie ihm das Leckerli und befehlen Sie ihm, an diesem Platz zu bleiben. Dann setzen Sie sich an den Tisch und genießen Ihr Abendessen. Zu Anfang sollten Sie ein paarmal aufstehen und ihn dafür loben, dass er liegen bleibt. Sobald er begreift, dass er etwas zu fressen bekommt, bleibt er zufrieden an seinem Platz und wird Sie kaum mehr anbetteln.

Immer das gleiche Futter. Den meisten Hunden macht es nichts aus, jeden Tag das gleiche Futter zu fressen, einige haben es nach einer Weile aber vielleicht satt, vor allem wenn es in der Küche immer nach anderen leckeren Sachen duftet.

Hunde sitzen gern auf dem Sofa, und es macht ihnen auch nichts aus, es mit Familienmitgliedern zu teilen. Dieser Labradormischling schätzt den erhöhten Platz, weil er von dort aus einen guten Überblick hat.

Es ist nichts dagegen einzuwenden, hin und wieder etwas Neues auszuprobieren, doch sollten Sie dabei nicht zu radikal vorgehen. Das neue Futter oder die neue Geschmacksrichtung sollte über einen Zeitraum von einer Woche in allmählich größer werdenden Anteilen zugeführt werden. Versuchen Sie, dem Trockenfutter etwas frisches bzw. Dosenfutter zuzugeben, oder fügen Sie dem Trockenfutter ein wenig Wasser hinzu. Auch erwärmtes Futter kann die Geschmacksnerven eines Hundes anregen, denn warmes Essen verströmt mehr Aroma.

Auf Möbel klettern

Hunde machen es sich gern gemütlich, und ein bequemer Sessel oder ein weiches Bett ist für ein Nickerchen angenehmer als der harte Fußboden. Doch Bequemlichkeit ist nicht der einzige Grund, warum Hunde Möbel mit Beschlag belegen. In ihren Augen sind jene Plätze, an denen die Menschen es sich gemütlich machen, auch Machtbereiche. Aus diesem Grund geben Hunde selbst das bequemste Lager auf, um heimlich aufs Sofa zu klettern oder in Ihr Bett zu schlüpfen.

Ich will den Überblick haben. Hunde wissen gern, was um sie herum passiert, und möchten bei allem dabei sein, selbst wenn sie nur zuschauen. Im Gegensatz zum Hundekorb, der meist irgendwo in einer Ecke steht, stehen Sofa und Sessel meist mitten im Zimmer. Von hier hat man einen guten Überblick. Außerdem

Probeschlafen

Hunde müssen sich darauf verlassen, dass die Menschen bequeme Hundekörbe für sie entwerfen. Doch Menschen haben ein Problem: Wie stellt man fest, welcher Korb Hunden gefällt und welcher nicht? Die Lösung kommt mal wieder aus Amerika: Die Firma Foster and Smith aus Wisconsin, die Artikel für den Haustierbedarf produziert, hatte die nahe liegende Idee – sie »befragt« die Hunde selbst.

Die Angestellten nehmen einfach Hundekörbe und Polsterbezüge mit nach Hause und probieren sie an ihren Hunden aus. So finden sie heraus, ob dem Hund der Artikel zusagt, vor allem der Stoff für das Polster im Korb.

Der Veteran unter den vierbeinigen Testern ist Candy, ein Drahthaarterrier, der schon seit 21 Jahren »berufsmäßig« Hundekörbe testet.

Candy und andere Hunde älteren Semesters bevorzugen dicke Schaumstofflager, in die man leicht hinein- bzw. auch wieder herauskommt. Ältere Hunde leiden oft unter Arthritis, und ein Schaumstoffpolster lindert ihre Beschwerden.

Andere Hunde haben andere Vorlieben. Kleine Hunde ziehen offenbar ovale, kuschelige Körbchen mit einer hohen, weichen Umrandung vor. Große Hunde hingegen schätzen große Polster, auf denen sie sich richtig ausstrecken können.

sind sie etwas erhöht, und ein erhöhter Platz symbolisiert unter Hunden einen hohen Status.

Hat ein Hund ein Möbelstück erst einmal mit Beschlag belegt, ist es meist sehr schwierig, ihn davon wieder abzubringen. Abgesehen von Duftsprays, die meist wenig wirkungsvoll sind, können Sie den bevorzugten Platz des Hundes ein paar Tage lang mit Bücherstapeln oder anderen Gegenständen unzugänglich machen.

Gleichzeitig bekommt der Hund ein bequemeres Hundekörbchen, das in eine bevorzugte Lage, z. B. direkt neben das Sofa, gerückt wird, von wo aus er einen guten Überblick hat.

Ich dachte, das wäre erlaubt! Die meisten Leute geben es ungern zu, doch fast alle Hunde, die auf Möbel springen, werden von einem Familienmitglied dazu ermuntert. Egal, wie oft Sie Ihrem Hund sagen, er soll vom Sofa verschwinden – er wird es wieder tun, sobald jemand anders ihn heimlich dazu auffordert. Wenn alle Familienmitglieder es dem Hund konsequent verbieten, aufs Sofa zu springen, wird er irgendwann beschließen, dass es die Mühe nicht lohnt, und mit seinem Korb vorlieb nehmen.

Zerstörungswut

Welpen können stundenlang fröhlich an Schuhen kauen, an Tischbeinen nagen oder Jacken zerfetzen. Manchmal tun sie es, weil sie Zähne bekommen, hin und wieder aber auch, weil ihnen das Kauen einfach Spaß macht und sie den Unterschied zwischen einem Büffelhautknochen

Mit dem Riesenwürfel kann sich dieser Viszla stundenlang beschäftigen. Und ein ausgelasteter Hund wird kaum das Haus verwüsten.

und Ihren neuen Schuhen noch nicht kennen. Die meisten Welpen bekommen ihre Zähne im Alter von vier bis acht Monaten. Was bei Welpen normal ist, lässt bei älteren Hunden aber auf Probleme schließen und hat vermutlich Folgendes zu bedeuten:

Was soll ich denn sonst machen? Hunde zerfetzen manchmal Dinge, die ihren Besitzern gehören, weil sie nichts Besseres zu tun haben. Dieses Verhalten trifft man besonders bei Hunden an, die sehr viel allein sind. Sie langweilen sich und suchen nach ein wenig Anregung.

Ich habe Angst, allein zu sein. Hunde sind sehr gesellig und daher nicht gern allein. Die meisten Hunde lernen, das Alleinsein zu akzeptieren, doch nicht alle. Durch das Zerkauen von Gegenständen oder anderes destruktives Verhalten versuchen sie, sich von ihrer Einsamkeit und Angst abzulenken. Kleidungsstücke tragen den Geruch ihrer Besitzer, und Hunde fühlen sich diesen näher, wenn sie an ihren Sachen kauen und dabei deren Geruch wahrnehmen können.

Unabhängig davon, warum Ihr Hund an etwas kaut, ist es normalerweise nicht weiter schwierig, ihn dazu zu bringen, damit aufzuhören. Kaufen Sie ihm ein paar eigene Spielsachen, an denen er kauen darf – vorausgesetzt, diese Spielsachen sind für ihn attraktiver als Ihre Sachen. Ideal sind z. B. Spielgeräte aus Hartgummi, die fast unzerstörbar sind. Wenn sie innen hohl sind, kann man sie noch mit Leckerbissen füllen, die nach und nach herausfallen.

Mit der Aussicht auf etwas zu fressen können sich Hunde stundenlang beschäftigen, und wenn sie mit ihrem eigenen Spielzeug beschäftigt sind, haben sie sehr wahrscheinlich kein Interesse mehr an verbotenen Gegenständen.

Doch Hunde brauchen mehr als Spielzeug, um überschüssige Energie abzubauen. Regelmäßige Bewegung ist wichtig. Hunde, die sich beim Spazierengehen oder Herumrennen austoben können, langweilen sich weniger und fühlen sich auch weniger einsam.

Ungestüme Begrüßung

Fast jeder Hund ist aufgeregt, wenn Leute zu Besuch kommen, doch einige geraten regelrecht außer Rand und Band. Sie rennen im Kreis herum, bellen wie verrückt oder springen so hoch, wie sie können, und hinterlassen dreckige Pfotenabdrücke auf der Kleidung. Selbst Hundeliebhaber werden nicht immer gern so überschwänglich begrüßt.

Abgesehen von Spaziergängen und Mahlzeiten erleben Hunde an einem normalen Tag nicht sehr viele aufregende Momente. Es ist also nicht überraschend, dass sie aufgeregt sind, wenn Besuch kommt und für Abwechslung sorgt. Es ist leicht, Welpen beizubringen, Besuch anständig zu begrüßen; bei älteren Hunden ist das schon etwas schwieriger. Nicht nur, dass sie meist bereits feste Angewohnheiten haben – es gibt manchmal auch andere Gründe für ihre so überschwängliche Begrüßung.

Diese Golden-Retriever-Hündin hat gelernt, sich hinzusetzen, wenn ihre Besitzerin die Tür öffnet. Dafür wird sie belohnt und darf an der Hand der Besucherin schnuppern.

FEUCHTE HUNDEKÜSSE

Ein kurzer Kuss auf die Wange ist bei Menschen eine weit verbreitete und akzeptierte Art der Begrüßung. Doch von einer feuchten Hundezunge abgeschleckt zu werden ist für viele Hundebesitzer und ihre Gäste keine schöne Vorstellung.

Das Lecken signalisiert bei einem Hund Unterwürfigkeit. Wenn ein Hund jemanden ableckt, erkennt er damit dessen höheren Rang an. Wenn Hunde einander begegnen, begrüßt der unterwürfigere Hund den anderen unter Umständen damit, dass er an seinen Fang stupst und manchmal um seine Lippen herumleckt. Das Schmatzen mit den Lippen und das Lecken der Lippen ist eine beruhigende Geste.

Manchmal lecken Hunde ihre Besitzer auch ab, weil sie etwas zu fressen haben möchten. Wenn Wolfsjunge ihre Mutter begrüßen, nachdem sie von der Jagd zurück ist, lecken sie an ihrem Maul, um sie dazu zu bringen, etwas zu fressen für sie hervorzuwürgen. Bei Haushunden ist das Ablecken allerdings eher ein Zeichen von Respekt als die Bitte um etwas zu fressen.

Ich bin so, wie ich bin. Peinlich berührt sind die meisten Menschen, wenn ihnen Hunde bei der Begrüßung mit der Schnauze frech zwischen die Beine gehen. Unter Hunden ist das ein ganz natürliches Verhalten, und die Vierbeiner verstehen nicht, warum Menschen das so unangenehm ist. Ausbilder empfehlen, dem Hund niemals zu gestatten, Besucher an delikaten Körperzonen zu beschnuppern. Sobald er sich mit der Schnauze nähert, sagen Sie »Aus!« oder »Nein!«. Sobald Ihr Hund sich beruhigt hat und still dasitzt, können Sie ihm erlauben, seine Neugier zu befrie-

Dieser Bretonische Spaniel reagiert bei Besuch immer sehr aufgeregt. Um ihn zu korrigieren, wird er an die kurze Leine gelegt und belohnt, wenn er sich gut benimmt.

digen, und ihn an der Hand Ihres Besuchers schnuppern lassen.

Ich weiß nicht so recht. Hunde reagieren besonders aufgeregt, wenn sie sich nicht sicher sind, was sie von dem Besuch halten sollen. Einerseits freuen sie sich und wollen Besucher begrüßen. Andererseits fragen sie sich aber auch, wie diese neue Person sich in die Gruppe einfügen wird, und sind sich nicht ganz sicher, wie sie darauf reagieren sollen. Also ziehen sie alle Register – Hochspringen, Bellen usw. –, um herauszufinden, wie derjenige darauf reagiert. Eine einfache Lösung besteht darin, Ihren Hund abzulenken, wenn der Besuch eintrifft. Sorgen Sie dafür, dass sich Ihr Hund hinlegt, denn indem Sie eine Übungssituation schaffen, richtet Ihr Hund seine Aufmerksamkeit eher auf Sie als auf den Besuch. Tut er, was Sie ihm sagen, geben Sie ihm einen Leckerbissen. Es wird nicht lange dauern, bis Ihr Hund begriffen hat, dass er etwas Leckeres zu fressen bekommt, wenn er sich ruhig verhält und Ihnen gehorcht. Natürlich freut sich Ihr Hund dann noch mehr auf Besuch, allerdings weiß er auch, dass eine freundliche Begrüßung ihm mehr einbringt als unbändiges Hochspringen.

STELLEN SIE SICH VOR

Die meisten Leute haben gelernt, einem fremden Hund die Hand mit der Handfläche nach unten hinzuhalten, damit er am Handrücken schnuppern kann. Daran ist nichts auszusetzen – einige Experten halten es jedoch für angebracht, dass man (fremde) Hunde besser mit dem Handteller nach oben begrüßt.

Die Erklärung: Ihr Handteller ist positiv elektrisch geladen, der Handrücken dagegen negativ. Die positive Ladung zieht Hunde an, die negative stößt sie ab.

HILFERUF

Niemand hat gern Flecken auf dem Teppich oder einen See in der Küche, doch ein gelegentliches Missgeschick ist normal, wenn man einen Hund im Haus hat. Nicht normal ist es aber, wenn einem Hund, der sich sonst immer unter Kontrolle hatte, dies plötzlich ständig passiert. Meist ist das der erste Hinweis auf gesundheitliche Probleme. Hunde mit einem Harnwegsinfekt müssen sich z. B. mehrmals in einer Stunde lösen, und wenn Sie nicht da sind, um sie hinauszulassen, tun sie, was sie tun müssen. Andere Krankheiten wie Diabetes, Blasensteine oder Verdauungsprobleme können ebenfalls dazu führen, dass ein Hund sich nicht mehr unter Kontrolle hat. Ein paar Missgeschicke deuten nicht gleich auf ernste Probleme hin, doch wenn sich die Situation nicht innerhalb von einigen Tagen bessert, sollten Sie einen Tierarzt aufsuchen.

Manche Hunde begreifen dies schnell, andere brauchen dafür etwas länger. Ein Tipp: Legen Sie Ihren Hund an eine lange Leine, bevor der Besuch kommt. Wenn die Gäste eintreffen, können Sie sich entweder auf die Leine stellen oder sie kurz in der Hand halten. Dadurch hat Ihr Hund nicht genug Leine, um seine Pfoten mehr als ein paar Zentimeter vom Boden zu heben. Es besteht keine Gefahr mehr, dass er herumspringt.

Erwachsenen Hunden passiert im Haus selten ein Malheur, es sei denn, sie sind krank. Doch Welpen halten es bis zum Gassigehen manchmal nicht aus.

Probleme bei der Begrüßung können unangenehm sein, weil man sie nicht ohne Zuschauer bewältigen kann. Man muss sich daran gewöhnen, in dem Augenblick, in dem man sich eigentlich gern seinen Gästen widmen würde, den Hund zu erziehen. Doch zahlt sich das rasch aus, vor allem, wenn Sie Ihre Gäste bitten, Ihnen dabei zu helfen. Stellen Sie doch eine Packung mit Hundekuchen vor die Haustür, auf der steht: »Belohnung für unseren Hund – doch nur, wenn er beim Hereinkommen sitzt«. Die meisten Leute machen gern mit, und Ihr Hund lernt so noch rascher, wie er sich richtig zu verhalten hat.

Nicht stubenrein?

Hunde sind in der Regel im Alter von ein paar Monaten stubenrein, und sobald sie die entsprechenden Regeln kennen, tun sie normalerweise alles, um rechtzeitig ihre Lieblingsplätze zum Urinieren zu erreichen. Doch selbst Hunde, die sich sonst vorbildlich benehmen, erleichtern sich manchmal dort, wo sie es nicht sollen. Dies sind

dann keine wirklichen »Missgeschicke«, denn erwachsene Hunde wissen genau, wann sie nach draußen gehen müssen. Hunde, die im Haus etwas hinterlassen, wollen Ihnen etwas mitteilen.

Ich konnte nicht warten. Selbst gut erzogene Hunde stoßen irgendwann an ihre Grenzen. Wenn Sie den ganzen Tag nicht zu Hause sind oder einmal länger arbeiten müssen als geplant, können Sie nicht erwarten, dass Ihr Hund so lange durchhält. Für die meisten Hunde sind zwölf Stunden ungefähr die Grenze. Wenn Sie länger fort sind, sollten Sie dafür sorgen, dass ein Nachbar oder Freund Ihren Hund rauslässt.

Ich habe das Kommando, hier ist der Beweis. Unter Hunden ist das Urinieren nicht nur eine Notwendigkeit. Sie markieren damit auch ihr Revier und bestimmen ihren Rang innerhalb der Gruppe. Darum müssen Hundebesitzer, die sich einen zweiten Hund anschaffen, häufig damit rechnen, dass einer der Hunde (meist der Hund mit den älteren Rechten) anfängt, an strategischen Punkten im Haus zu urinieren.

Manchmal dauert es ein paar Wochen oder sogar noch länger, bis sich beide Hunde an die neue Situation gewöhnt haben und sich wohl fühlen. Man kann dies beschleunigen, indem man die natürliche Hackordnung unterstützt. Ziehen Sie den Leithund eindeutig vor. In der Regel – wenn auch nicht immer – wird das der Hund sein, der bereits am längsten bei Ihnen ist. Füttern Sie diesen Hund zuerst, lassen Sie ihn zuerst durch die Tür gehen und widmen Sie ihm am meisten Aufmerksamkeit. Sobald der Hund das Gefühl hat, dass sein Status gesichert ist, wird er sich weniger genötigt sehen, sein Revier zu verteidigen.

Ich bete den Boden an, auf dem du gehst. Wenn Ihr Hund sich in dem Augenblick, in dem Sie zur Tür hereinkommen, auf den Rücken rollt und auf den Fußboden uriniert, vergisst er weder seine Stubenreinheit, noch ist er unhöflich. Er ist sogar überaus höflich. Der Hund will Ihnen damit sagen, dass Sie sein Leithund sind und er alles tut, was Sie möchten. Unterwürfigkeitsharnen nennt man dieses Phänomen in der Fachsprache. Ein gutes Zeichen ist es jedoch nicht, da es darauf hindeutet, dass der Hund überängstlich und verschüchtert ist. Versuchen Sie, Ihrem Hund ein Gefühl von mehr Sicherheit zu vermitteln. Bleiben Sie beim Nachhausekommen z. B. nicht einfach stehen, sondern knien Sie sich hin und begrüßen Sie ihn auf seiner Höhe. Vielleicht vermeiden Sie auch eine Weile den direkten Blickkontakt, da einige Hunde verschüchtert darauf reagieren.

Dieser Labrador-Retriever bekommt von seinem Besitzer großes Lob, wenn er dessen Kommandos sofort befolgt. Das ermuntert ihn zu noch mehr Gehorsam.

Hunde lassen sich von den aufregenden Dingen in ihrer Umgebung leicht ablenken. Es fällt ihnen daher schwer, immer auf ihren Besitzer zu achten.

Ein extrem unterwürfiges Verhalten ist nicht leicht zu korrigieren, weil es unter Umständen ein Wesenszug des Hundes ist. Wenn Veränderungen nichts bewirken, sollten Sie sich bei einem Tierarzt oder Hundeausbilder Hilfe holen.

Kommandos ignorieren

Manchmal schalten wir einfach ab, und Hunde sind da nicht anders. Doch hin und wieder ignorieren sie ihre Besitzer auch absichtlich, und zwar unter Umständen aus folgenden Gründen:

Ich verstehe dich nicht. Gibt man ein Kommando nicht auf die richtige Art und Weise, führt das zu Verwirrung. Wenn wir uns nicht knapp, klar und konsequent äußern, versteht unser Hund nicht, was wir von ihm wollen.

Ein Beispiel: Manche Leute befehlen ihrem Hund sich zu setzen, heben aber wie bei einer Frage am Ende die Stimme, so als wollten sie ihn

höflich bitten sich zu setzen. Doch dann gehorcht der Hund vermutlich nicht. Benutzen Sie Kommandos, die nur aus ein oder zwei Wörtern bestehen. Außerdem sollten Sie jedes Mal dieselben Wörter verwenden und mit deutlicher, freundlicher Stimme sprechen.

Was habe ich davon? Hunde wissen, dass sie gehorchen sollen, doch manchmal wollen sie einfach den Knochen nicht fallen lassen und zu ihrem Besitzer zurücklaufen, es sei denn, es springt etwas für sie dabei heraus. Hundebesitzer, die ihre Vierbeiner nicht genug loben, müssen schnell feststellen, dass diese »vergessen«, ihnen zu gehorchen. Genau wie Menschen brauchen Hunde einen Anreiz, um ihre Arbeit zu tun. Für die meisten Hunde besteht ihre Arbeit darin, das zu tun, was ihre Besitzer ihnen sagen. Die Belohnung sollte aus einem großen Lob bestehen, das sofort erfolgt, sei es in Form eines Leckerbissens, einer Streicheleinheit oder eines herzlichen Ausrufs wie »guter Hund« oder Ähnlichem.

Ich habe Angst vor dem, was du tust, wenn ich dir gehorche. Wenn jedem Kommando etwas folgen würde, das aufregend ist und Spaß macht, gäbe es viel mehr gehorsame Hunde. Doch in Wirklichkeit bedeutet ein Kommando wie »Komm!« oder »Sitz!« manchmal, dass dem Hund etwas Unangenehmes wie z. B. ein Bad bevorsteht. Hunde haben ein gutes Gedächtnis und können zwei und zwei zusammenzählen. Sobald ein Hund eine Verbindung zwischen »Komm!« und dem Bad herstellt, hört er in Zukunft vermutlich nicht mehr auf Sie.

Tun Sie deshalb nach jedem Befehl etwas, was dem Hund gefällt. Das ist wichtig, wenn Sie wollen, dass er kommt, wenn Sie ihn rufen. Es ist besser, den Hund nie zu rufen, wenn Sie wissen, dass Sie etwas tun müssen, was ihm missfällt. In diesen Fällen gehen Sie besser auf ihn zu, anstatt zu verlangen, dass er zu Ihnen kommt.

Hey, es ist so interessant hier. Gelegentlich blenden Hunde ihre Besitzer aus ihrem Bewusstsein aus, weil gerade so viel Interessantes passiert. Möglicherweise sind sie abgelenkt oder hängen einem Tagtraum nach und überhören die Kommandos ihrer Besitzer.

Ich kann dich nicht hören. Hunde, die Befehlen nicht mehr gehorchen oder ihnen nur noch gelegentlich Folge leisten, werden vielleicht schwerhörig. Um das zu überprüfen, stellen Sie sich in einiger Entfernung hinter den Hund und klatschen in die Hände. Wenn er nicht reagiert, sollten Sie mit ihm einen Tierarzt aufsuchen.

Ich hab's nicht nötig, auf dich zu hören. Hunde sind sehr rangbewusst. Sie wollen wissen, wer der Leithund ist, sonst gehen sie davon aus, dass sie selbst es sind, und schenken ihrem Besitzer immer weniger Beachtung. Wenn Sie nicht bereit sind, die Rolle des Leithundes zu übernehmen, kann die Beziehung zu Ihrem Hund nicht funktionieren. Dazu gehört auch, dass Sie Kommandos geben und sie auch durchsetzen. Bleiben Sie konsequent. Lassen Sie kein unbotmäßiges Verhalten zu. Wenn Ihr Hund etwas möchte, soll er es sich verdienen, indem er etwas tut, was Ihre Anerkennung findet.

Hunde brauchen meist nicht lange, um Ihre Schwächen herauszufinden. So rufen z. B. viele Leute ihre Hunde zwar zu sich, erwarten aber eigentlich selbst nicht, dass sie sofort gehorchen. Also fühlen sich diese Hunde auch nicht bemüßigt, Folge zu leisten. Ihre Besitzer haben ihnen beigebracht, dass es in Ordnung ist, sie erst einmal zu ignorieren. Verhindern lässt sich das nur, wenn man bereit und in der Lage ist, seine Kommandos auch wirklich durchzusetzen.

An der Leine zerren

Wir alle kennen diese Szene: Da eilt ein Hundebesitzer strammen Schrittes an uns vorbei, weil sein Vierbeiner mit ihm spazieren geht und nicht umgekehrt. Hunde, die ständig an der Leine zerren, können einen netten Spaziergang in

Dieser Schnauzer will bestimmen, wo es langgeht. Ein einfache Methode, die Situation umzukehren, besteht darin, sich abrupt umzudrehen und eine andere Richtung einzuschlagen. Das zwingt den Hund, hinterherzulaufen statt voranzugehen.

Wenn ein Hund beim Spaziergang genug Gelegenheit zum Herumschnüffeln bekommt, hat er es nicht nötig, an der Leine zu ziehen.

einen anstrengenden Geländelauf verwandeln, bei dem sich Herrchen oder Frauchen fast die Schulter ausrenken. Doch auch bei diesem Fehlverhalten gilt, dass Ihr Hund Ihnen damit etwas sagen will. Es ist wichtig, dass Sie herausfinden, warum Ihr Hund an der Leine zerrt, damit Sie ihm diese Unart abgewöhnen können.

Ich habe hier das Kommando. Hunde, die an der Leine zerren, sind irgendwie zu der Ansicht gelangt, dass sie das Kommando haben. Das kommt häufig in Familien vor, in denen nicht alle konsequent darauf achten, dass dem Hund seine Grenzen aufgezeigt werden.

Da muss ich nachsehen. Aus der Perspektive eines Hundes ist alles Neue faszinierend, und alles Faszinierende muss erforscht werden. Anblicke und Gerüche, die Menschen nichts bedeuten, können Hunde magisch anziehen.

Da muss ich hinterher. Manche Hunde zerren an der Leine, sobald sie ein kleineres Tier

in der Nähe entdecken. Hunde folgen ihrem Jagdinstinkt, der durch die Bewegung eines potenziellen Beutetiers ausgelöst wird.

Lass uns unser Ziel so rasch wie möglich erreichen. Wenn Hunde wissen, dass sie auf dem Weg zu etwas Aufregendem sind, packt sie die Begeisterung, und sie zerren an der Leine, um möglichst schnell dort anzukommen.

Ich bin so aufgeregt. Wird ein Hund nicht regelmäßig ausgeführt, reagiert er auf jeden Spaziergang ganz aufgeregt und drängt vorwärts. Um das zu verhindern, sollten Sie häufig und regelmäßig mit ihm spazieren gehen – und nicht nur dann, wenn seine natürlichen Bedürfnisse das Gassiführen unumgänglich machen.

Wenn Sie nicht selbst mit ihm spazieren gehen können, sorgen Sie dafür, dass jemand anders, ein Freund oder Nachbar, dies übernimmt. Auf diese Weise reagiert Ihr Hund nicht mehr so aufgeregt und zerrt vermutlich nicht mehr an der Leine.

Um einem Hund das Zerren an der Leine abzugewöhnen, müssen Sie ihn von dem ablenken, was seine Aufmerksamkeit erregt, und ihn dazu bringen, sich ausschließlich auf Sie zu konzentrieren.

Dafür gibt es eine einfache Methode: Wenn Ihr Hund beim Spazierengehen vorwärts stürmt, drehen Sie sich abrupt um und gehen in die entgegengesetzte Richtung. Das überrascht Ihren Hund – und Überraschungen schätzen Hunde normalerweise gar nicht.

Wenn Sie diese Methode ein paar Wochen lang durchhalten, wird er anfangen, Sie zu beobachten, damit er nicht immer wieder überrascht wird. Und je mehr er Sie beobachtet, desto angenehmer werden Ihre Spaziergänge.

FÜNFTER TEIL

DIE UMSETZUNG

Wenn Sie wissen, wie Hunde sich verständigen, verstehen Sie sehr viel
eher, was sie sagen wollen. Sie können sich die Hundesprache, zu der
nicht nur Lautäußerungen, sondern auch Berührungen und Gerüche
gehören, zunutze machen, um eine engere Beziehung zu Ihrem Vierbeiner
aufzubauen und ihn dazu zu bringen, sich besser zu benehmen.

KAPITEL ZWANZIG

DEN HUND ERZIEHEN

Hunde lernen gern etwas Neues. Indem Sie Ihrem Hund etwas beibringen, machen Sie nicht nur allen Beteiligten das Zusammenleben leichter, sondern beschäftigen den Hund und geben ihm das Gefühl, sich nützlich zu machen.

Hunde sind in der Lage, Erstaunliches zu leisten. Sie spüren vermisste Menschen auf, führen Blinde und stellen ihr Gehör in den Dienst von tauben Menschen. Sie spüren Drogen und Sprengstoff auf und werden sogar eingesetzt, um Flugzeugabstürze zu verhindern.

Leider besitzen einige Hunde auch Fähigkeiten, die nicht ganz so nützlich sind: wie jener Schottische Schäferhund, der jeden Lieferwagen anbellt, oder der Deutsche Schäferhund, der im Garten Dosen mit Katzenfutter, die er aus dem Küchenschrank stibitzt hat, zu Türmen aufschichtet – oder wie jener Springerspaniel, der gelernt hat, die Kühlschranktür zu öffnen und sich an seinem Inhalt schadlos zu halten.

In allen diesen Fällen sind die Hunde intelligent, lernfähig und in der Lage, schwierige Aufgaben zu lösen. Der Unterschied besteht darin, dass den zuerst genannten Hunden beigebracht wurde, Dinge zu tun, die Menschen nützlich finden. Den zuletzt genannten fehlte die Anleitung; also haben sie sich das beigebracht, was sie selbst nützlich fanden. Dass ihre Besitzer darüber nicht glücklich sind, liegt auf der Hand.

Hunde brauchen Beschäftigung. Dieser Golden-Retriever-Mischling zieht große Befriedigung daraus, jeden Morgen die Zeitung zu holen.

Warum Erziehung wichtig ist

Wenn man beobachtet, wie ein Hund den größten Teil des Tages verschläft, kann man kaum glauben, dass Hunde gern beschäftigt werden. Doch jeder Hund hat instinktiv das Bedürfnis, einer »erfüllenden« Beschäftigung nachzugehen. Hunde sind nicht dazu da, unsere

Spielkameraden zu sein, im Gegenteil, sie wurden über einen langen Zeitraum gezüchtet, um bestimmte Aufgaben wahrzunehmen: um z. B. zu jagen, Herden zu hüten oder um Jagdbeute zu apportieren.

Unabhängig von ihrer Rasse sind Hunde von Natur aus dazu bestimmt, jeden Tag ständig beschäftigt zu sein. Sonst langweilen sie sich schnell und suchen sich selbst eine Beschäftigung. Leider deckt sich ihre Vorstellung von einem unterhaltsamen Zeitvertreib – am Mobiliar kauen, im Garten buddeln oder laut bellen – meist nicht mit der ihrer Besitzer.

Man muss seinen Hund ja nicht gleich zum Polizeihund ausbilden – ein gewisses Maß an elementarer Erziehung ist aber für jeden Hund sinnvoll. Auch wenn Sie Ihrem Hund lediglich beibringen, sich zu setzen oder ordentlich an der Leine zu gehen, bekommt er das Gefühl, etwas Sinnvolles zu tun. Er ist nicht gelangweilt, sondern aufgeregt und ausgefüllt, weil er etwas zu tun hat. Hunde müssen auch deshalb erzogen werden, weil sie die Welt mit anderen Augen sehen – und zwar auf eine Weise, die Menschen kaum nachvollziehen können. Was für Hunde ganz natürlich ist, ist für die Menschen, bei denen sie leben, häufig vollkommen unangebracht. So akzep-

Expertin für Flugsicherheit

HUNDEGESCHICHTEN

Hunde besitzen viele erstaunliche Fähigkeiten, doch dass sie auch Flugzeugabstürze verhindern können, mag man kaum glauben. Und doch tut die fünf Jahre alte Border-Collie-Hündin Jackie genau dies – und zwar Tag für Tag.

Jackie lebt und arbeitet auf dem Luftwaffenstützpunkt Willow Grove in Pennsylvania. Bevor sie dort eingesetzt wurde, hatte der Stützpunkt mit einem Problem zu kämpfen, das viele Flughäfen kennen: Zusammenstöße von Flugzeugen mit Vögeln. In Willow Grove hatten Kollisionen mit Kanada-Gänsen an den teuren Militärmaschinen innerhalb von fünf Jahren Schäden von umgerechnet mehr als 100 000 Mark verursacht. Die Gänse ließen sich einfach nicht vom Gelände verscheuchen. Weder Feuerwerksraketen noch Wasserwerfer oder das Abspielen von Kassetten, auf denen aufgeregtes Gänsegeschnatter zu hören war, brachten den gewünschten Erfolg. Doch dann kam Jackie.

Border Collies wurden ursprünglich gezüchtet, um Schafe zu hüten, doch Jackies persönliche Aufgabe besteht darin, die Gänse vom Rollfeld zu jagen. Immer wenn vom Kontrollturm des Stützpunktes aus irgendwo auf dem Gelände Gänse entdeckt werden, heißt es: »Jackie, übernehmen Sie!«

Jackie wird zu den Gänsen gefahren und losgelassen. Dann versucht sie, die Gänse wie Schafe zusammenzutreiben. Doch im Gegensatz zu Schafen können Gänse fliegen. Das ist für Jackie natürlich ein wenig frustrierend, auch wenn der Zweck damit erfüllt ist. Um Jackie bei Laune zu halten, bekommt sie reichlich Lob und auf der Wache findet sich immer jemand, der mit ihr Ball spielt.

Jackie macht ihre Arbeit nun schon seit über einem Jahr, und in dieser Zeit hat es – zumindest in ihrer Schicht – keine Unfälle mehr gegeben ...

tieren bzw. erwarten Hunde sogar, dass ein Hund z. B. sein Futter verteidigt, indem er einen Eindringling wütend anknurrt oder ihn sogar beißt. Menschen tolerieren solches Verhalten

133

nicht. Nur durch Erziehung lernen Hunde, was von ihnen erwartet wird. Sie müssen wissen, was sie tun dürfen und was nicht, und dafür brauchen sie klare Richtlinien.

Klare Signale geben

Die meisten Hunde lernen gern etwas Neues. Es gibt daher keinen Grund, ein- oder zweimal am Tag trockene Drillübungen abzuhalten. Genau wie Menschen lernen auch Hunde am schnellsten und mit dem meisten Spaß, wenn all ihre Sinne angesprochen werden.

Indem Sie Worte, Geräusche, Handzeichen, Berührungen und sogar Gerüche einsetzen, können Sie Ihrem Hund alles Grundlegende beibringen, und zwar in relativ kurzer Zeit. Danach werden Sie bemerken, dass die Verständigung besser klappt und der Umgang mit Ihrem Hund angenehmer und einfacher geworden ist.

Worte. Hunde behalten Wörter am besten, die sie mit positiven, angenehmen Dingen verbinden. Loben Sie deshalb den Hund ausgiebig – mit Worten oder Leckerbissen –, wenn er anfängt, auf gesprochene Kommandos zu hören. Sie müssen Ihrem Hund nicht jedes Mal einen Leckerbissen geben, doch zu Anfang, wenn er beginnt, eine Verbindung zwischen einzelnen Wörtern und der Belohnung herzustellen, wird er schneller lernen.

Geräusche. Hunde reagieren nicht nur auf das gesprochene Wort. Sie können sehr viel besser hören als Menschen und verlassen sich auch mehr auf ihr Gehör als wir. Das bedeutet, dass sie Geräusche, die wir überhören, klar und deutlich wahrnehmen. So können Sie z. B. Händeklatschen einsetzen, um Ihren gesprochenen

Für diesen Viszla bedeutet die leichte Berührung seines Rumpfes in Verbindung mit einem gesprochenen Kommando, dass er stehen bleiben soll.

Kommandos Nachdruck zu verleihen, oder auch nur, um Ihren Hund wissen zu lassen, dass er etwas richtig gemacht hat.

Hände. Hunde reagieren sehr viel eher auf Körpersprache als auf Wörter. Das bedeutet, dass sich Handzeichen gut für die Unterweisung von Hunden eignen. Diese visuellen Signale sind hilfreich, um etwas zu betonen oder Ihrem Hund dabei zu helfen, bestimmte Wörter zu verstehen. Sie können Ihrem Hund sogar beibringen, ausschließlich auf Handzeichen zu reagieren. Das ist hilfreich, wenn Sie ihm über eine größere Entfernung hinweg etwas vermitteln wollen oder Ihr Hund im Alter schwerhörig wird.

Berührung. Hunde reagieren sehr empfindlich auf Berührungen. Sie können Ihren Hund berühren, um ihn zu beruhigen, damit er sich entspannt und gern lernt. Wenn es Ihnen gelingt, ihn an Berührungen zu gewöhnen, die er normalerweise nicht so gern hat, erleichtern Sie z. B. dem Tierarzt die Arbeit. Berührungen helfen auch, gesprochenen Kommandos Nachdruck zu verleihen. Sie können Ihrem Hund dadurch beibringen, welche Art von Berührungen Sie Ihrerseits mögen und welche nicht. Mit Hilfe der Übungen lernen auch Sie das Berührungsvokabular Ihres Hundes kennen. Wenn ein Hund seine Schnauze an Ihren Handteller schmiegt, möchte er vermutlich ein wenig Zuwendung oder mit Ihnen spielen. Ein Hund, der dicht an Ihnen vorbeistreicht, bittet sehr wahrscheinlich um eine Streicheleinheit – oder aber er will sagen: »Geh zur Seite, ich habe Vorrang!«

Geruch. Hunde haben einen ausgeprägten Geruchssinn, der für ihre Kommunikation untereinander sehr wichtig ist. Darum liegt es nahe, bei der Hundeerziehung ebenfalls Gerüche einzusetzen. Einen Duft zu benutzen, den Hunde nicht mögen, ist eine Möglichkeit, um ihnen klarzumachen, dass sie bestimmte Dinge in Ruhe lassen sollen. Unangenehme Gerüche können ihnen auch signalisieren, dass sie mit dem Bellen aufhören sollen. Andererseits können Sie Gerüche einsetzen, die Hunde gern haben, um ihnen dabei zu helfen, mit neuen Situationen fertig zu werden, ihnen unbekannte Menschen vorzustellen oder ihnen Geborgenheit zu vermitteln, wenn Sie nicht anwesend sind.

Der richtige Riecher

HUNDEGESCHICHTEN

Viele Rentner suchen sich nach ihrer Pensionierung ein neues Tätigkeitsfeld, so auch George, ein Schnauzer, der in seinem »Berufsleben« für die Polizei in Tallahassee, Florida, Bomben aufgespürt hatte. Dann stellte sein Herrchen fest, dass George noch andere Gefahren wittern konnte. Die zweite Karriere des begabten Hundes begann, als der Hautarzt Armand Cognetta einen Fachartikel über eine Patientin las, deren Hund ständig an einem Leberfleck schnüffelte, der sich später als bösartig erwies. Dr. Cognetta fragte sich, ob Hunde eine Krebserkrankung tatsächlich riechen können, und wenn ja, ob man sie dahin gehend abrichten könnte. Der preisgekrönte Schnauzer des Hundeausbilders Duane Hackel schien ihm für diesen Versuch der ideale Kandidat zu sein.

»Hunde brauchen eine Aufgabe, und George liebt seine Arbeit und lernt gern etwas Neues«, sagt Duane. George wurde einer Reihe von Tests unterzogen: So musste er z. B. Melanomproben in Teströhrchen apportieren oder Krebszellenproben aufspüren, die freiwillige Probanden unter mehreren Pflasterschichten am Körper trugen. Der schwierigste Test bestand schließlich darin, an einem Krebspatienten zu schnuppern. Auf Duanes Kommando »Zeig's mir!« legte George eine Pfote auf den Fleck, den er herausgeschnuppert hatte. In den meisten Fällen identifizierte »Dr. George« verdächtig aussehende Leberflecken, die Ärzte für potenziell bösartig hielten, jedoch noch nicht mittels einer Biopsie untersucht hatten.

KOMMANDOS, DIE JEDER HUND KENNEN SOLLTE

Hunde sind erstaunlich begabt, wenn es darum geht, Kommandos zu lernen. Abgerichtete Show-, Arbeits- und Blindenhunde kennen oft Dutzende von Kommandos, die aus Wörtern, Geräuschen und Signalen bestehen. Die meisten Haushunde erhalten Hörzeichen, doch Handzeichen oder Geräusche sind ebenso wirkungsvoll. Welche Methode Sie vorziehen, spielt keine Rolle, denn die meisten Hunde müssen nur elf einfache Kommandos kennen, um sich mit Ihnen gut zu verstehen.

Warte! Einige Hunde drängeln sich gern vor, um als Erste durch die Tür oder einen schmalen Flur entlangzugehen. Beim Kommando »Warte!« wissen sie, dass sie erst gehen dürfen, wenn Sie es sagen.

Sitz! Es ist eines der leichtesten und nützlichsten Kommandos. Hunde, die es befolgen, springen weniger häufig an Ihnen oder anderen hoch, noch kämpfen sie mit anderen Hunden oder zerren Sie bei Rot über die Straße.

Ein Hund, der wie dieser Shiba-Inu gelernt hat, ordentlich bei Fuß zu gehen, wird seine Besitzerin nicht die Straße entlangzerren.

Dieser Schäferhund-Labrador-Mischling wurde dazu erzogen, still auf einer Stelle sitzen zu bleiben. Er wartet geduldig, bis sein Besitzer wieder aus dem Geschäft kommt.

Platz! Wie das Kommando »Sitz!« für die Umgangsformen eines Hundes unerlässlich. Es ist außerdem bequemer für einen Hund, sich hinzulegen, wenn er länger warten muss.

Bleib! Dieses Kommando, oft mit »Sitz!« oder »Platz!« kombiniert, sagt dem Hund, dass er zur Ruhe kommen soll. Vielen Hunden fällt es schwer, diesem Kommando zu gehorchen, weil sie sich lieber bewegen.

Bei Fuß! Ihr Hund muss dieses Kommando verstehen – es sei denn, Sie führen ihn stets an der Leine oder leben auf dem Land, abseits viel befahrener Straßen. »Bei Fuß!« oder auch »Komm mit!« bedeutet, dass Ihr Hund an Ihrer linken Seite mitläuft, ohne zurückzubleiben oder vor- zupreschen. Es ist wichtig, dass ein Hund dieses Kommando versteht, weil sie ihn sonst ständig an der Leine zurückzerren müssen und Spaziergänge in Arbeit ausarten.

Komm! Ein entscheidendes Kommando. Hunde, die es verstehen, drehen sich um und kommen zu Ihnen, sobald Sie sie rufen. Mit diesem Kommando können Sie sie davon abhalten, auf die Straße zu laufen oder andere Leute umzurennen. Bei diesem Kommando kommen Hunde auch dann zurück, wenn sie lieber weiterlaufen würden.

Ruhig! Dieses Kommando sagt Ihrem Hund, er soll nicht länger herumzappeln. Es ist sehr nützlich, wenn Sie ihn bürsten, baden, untersuchen oder ihn an einem reg- nerischen Tag abtrocknen wollen.

Runter! Nur wenige Hunde ziehen nicht das Sofa oder die Bettdecke dem Körbchen vor. Hunde, die dieses Kommando verstehen, bleiben deswegen noch lange nicht den Möbeln fern, doch zumindest springen sie sofort herunter, wenn sie das Kommando hören. »Runter!« heißt auch, nicht an Ihnen oder an anderen Leuten hochzuspringen.

Braver Hund! Hunde lieben dieses Kom- mando, weil es bedeutet, dass sie etwas gut gemacht haben. Es heißt auch, dass Sie eventuell keine Kommandos mehr geben und sie sich austoben können.

Aus! Manchmal ist es schwer, Hunde davon zu überzeugen, Köstlichkeiten wie Knochen aus dem Müll oder Ihre Schuhe

wieder herzugeben, wenn sie das Kommando nicht richtig gelernt haben. Es soll sie bewegen, das, was sie gerade im Maul haben, sofort fallen zu lassen. Das gefällt ihnen nicht immer, doch sie gehorchen, wenn Sie es ihnen schon im Welpenalter beibringen.

Körbchen! Dieses Kommando sagt Ihrem Hund, dass es Zeit zum Schlafengehen ist. Es ist nicht nur zur Schlafenszeit nützlich, son- dern auch dann, wenn Sie möchten, dass er sich eine Weile ruhig verhält.

Dieser Australische- Kelpie-Mischling weiß, dass er das Sofa räumen muss, wenn sein Frauchen sagt: »Runter!«

KAPITEL EINUNDZWANZIG

DER RICHTIGE NAME

Die Namenswahl ist eine sehr persönliche Entscheidung. Sie müssen ungefähr zehn bis fünfzehn Jahre mit diesem Namen leben. Daher sollten Sie einen Namen wählen, der Ihnen und Ihrem Hund gefällt, den er leicht lernt und auf den er gern hört.

Als Bill Clinton, der amerikanische Präsident, 1997 seinen neuen schokoladenbraunen Labrador im Weißen Haus begrüßte, machten Tausende von Amerikanern Vorschläge, wie er ihn nennen sollte.

Doch wie unzählige andere Hundebesitzer auch musste Clinton feststellen, dass mehr zur Namensgebung gehört, als andere Leute nach ihrer Meinung zu fragen. Persönliche Assoziationen sollten ebenso berücksichtigt werden wie die Reaktionen des Hundes selbst.

Und genau das hat Clinton schließlich auch getan. Er nannte seinen Hund Buddy – nicht nur, weil ihn der Name an seinen geliebten Onkel Buddy erinnert, sondern auch, weil der Labrador offenbar am besten darauf reagierte.

Menschennamen

Viele Hundebesitzer geben ihren Vierbeinern gern Menschennamen, Präsident Clinton ist da keine Ausnahme. Hundeausbilder sind jedoch geteilter Meinung, ob man Vierbeinern Menschennamen geben sollte. Es gibt Experten, die der Ansicht sind, dass Hundehalter ihren Hund eher wie einen Menschen und nicht wie einen Hund behandeln, wenn sie ihm einen Menschennamen gegeben haben.

Jeder dieser braunen Labradorwelpen verdient einen Namen, der seine Individualität und Persönlichkeit widerspiegelt.

Andere glauben, dass es im Grunde genommen unwichtig ist, was für einen Namen man seinem Hund gibt, solange sich beide Seiten mit dem entsprechenden Namen wohl fühlen. Schließlich ist die Beziehung zwischen Mensch und Hund wichtiger als der Hundename.

Unabhängig davon, für welchen Namen Sie sich letztlich entscheiden, ist es wichtig, dass Sie einen Namen aussuchen, der zu Ihrem Hund passt. Deshalb sollten sie seine Rasse, sein Geschlecht und seine Größe mit berücksichtigen. Auf diese Weise tragen Sie auch seiner Einzigartigkeit und seiner Persönlichkeit Rechnung.

Die richtige Wahl?

Viele Hundebesitzer suchen Namen aus, die nicht so sehr den Charakter ihres Hundes widerspiegeln, sondern eher etwas über den Halter selbst aussagen. Das führt manchmal zu einem albernen Namen oder einem Namen, bei dem andere Leute unangemessen auf den Hund reagieren, sei es mit Gelächter oder Angst.

So ist Rambo z. B. ein schlechter Name für einen Pitbull-Terrier, weil er auf das aggressive Image dieser Rasse anspielt und dadurch anderen Menschen Angst einjagt, egal wie freundlich der Hund ist. Ebenso ist Mini ein ungeeigneter Name für eine Deutsche Dogge, weil er sich über ihre Größe lustig macht.

Es ist außerdem sehr wichtig, dass Ihr Hund seinen Namen schnell lernen kann. Experten empfehlen, einen zweisilbigen Namen zu wählen, der mit einem ausdrucksvollen Konsonanten beginnt, beispielsweise Kira oder Toni. Solch einen Namen lernt Ihr Welpe oder Hund schnell. Mit einem langen Namen, der aus zwei oder mehr Silben besteht, hat ein Hund unter Umständen Schwierigkeiten, wohingegen ein einsilbiger Name manchmal Wörtern oder Wortfetzen

NAMEN, DIE SIE IHREM HUND NICHT GEBEN SOLLTEN

Hunde sind erstaunlich anpassungsfähig, daher wird ein schlechter Name sie kaum für ihr Leben entstellen. Ausbilder geben aber zu bedenken, dass einige Namen einfach nicht funktionieren: Namen, die den Hund lächerlich machen, Namen, die mit anderen Wörtern oder Kommandos verwechselt werden können, und Namen, deren Klang Hunde einfach nicht mögen. Einige Beispiele:

Hein: Klingt zu sehr wie »nein«.

Tom: Könnte der Hund mit »komm« verwechseln.

Susi: Hunde mögen keine Zischlaute, vielleicht weil sie an Schlangenlaute erinnern.

Killer: Große Hunde, die im Ruf stehen, aggressiv zu sein, erschrecken mit solch einem Namen andere Leute noch mehr. Und bei einem kleinen Schoßhund wie dem Chihuahua klingt es einfach nur albern.

Mini: Jeder Hund, ob er nun groß wie ein Kalb ist oder so klein, dass er in eine Handtasche passt, betrachtet sich als großen Hund. Warum seine Gefühle verletzen?

ähnelt, die wir im Alltag benutzen. Das kann zu Verwirrung führen und es dem Hund erschweren, seinen Namen zu lernen. Einen zweisilbigen Namen kann er jedoch von allen anderen Worten, die er hört, unterscheiden.

Meiden Sie ebenfalls Namen, die leicht mit Kommandos zu verwechseln sind, wie z. B. Fritz,

den ein Hund irrtümlich für das Wort »sitz« halten könnte. Es gibt viele Namen, unter denen man wählen kann, ganz alltägliche, aber auch exotische. Im Folgenden nennen wir ein paar Kriterien, die Sie bei Ihrer Wahl beachten sollten.

Beobachten Sie Ihren Hund, um Ideen zu sammeln. Oft drängt sich ein Name auf, wenn man seinen Hund beobachtet. Schnüffelt er beispielsweise ständig in der Gegend herum, ist möglicherweise Rex der passende Name für Ihren Hundekommissar. Zu einem Hund, der gerne rennt, passt vielleicht der Name Flitzer gut. Eine Ausnahme gibt es jedoch bei diesem Prinzip: Handelt es sich bei Ihrem Hund um einen Rottweiler, einen Dobermann, Pitbull oder irgendeine andere Rasse, die als aggressiv gilt, sollten Sie ihm keinen entsprechenden Namen geben.

Auf einen Rottweiler namens Terminator werden die meisten Leute ängstlich reagieren, wenn sie seinen Namen hören. Spürt er dann wiederum ihre Angst, ist seine Reaktion möglicherweise negativer, als es bei einem weniger aggressiv klingenden Namen der Fall gewesen wäre.

Wählen Sie einen Namen, der Ihrem Hund gefällt. Bei der Namensgebung sollte man unbedingt auch die Vorlieben des Hundes berücksichtigen. So lehnen z. B. die meisten Hunde einen Namen mit scharfen Zischlauten ab, weil er ihnen unangenehm ist. Ausbilder empfehlen, mehrere Namen auszuprobieren, um herauszufinden, auf welchen Ihr Hund am ehesten reagiert.

Wählen Sie einen Namen, der Ihnen gut gefällt. Wichtig ist auch, dass Sie einen Namen aussuchen, den Sie schön finden. Hunde achten sehr auf Körpersprache und Tonfall. Wenn Ihr Hund merkt, dass Sie seinen Namen gern aussprechen, wird er fröhlich reagieren, wenn er ihn hört.

Wählen Sie einen würdevollen Namen. Ein alberner oder übertrieben niedlicher Hundename ist fehl am Platz. Er würdigt sowohl den Hund als auch Ihre Beziehung zu ihm herab. Einen Dackel Waldi oder Wiener zu nennen mag zunächst lustig sein, doch wenn ihn deswegen jeder auslacht, kann das Probleme nach sich ziehen. Ein Hund, der glaubt, ausgelacht zu

Unabhängig davon, ob es sich bei Ihrem Hund um einen Dackel oder eine Dogge handelt, sollte sein Name zu seiner Rasse und seiner Größe passen. Ein Name, der sich über sein Aussehen lustig macht, führt wegen der Reaktionen anderer Leute zu Irritationen.

werden, reagiert eventuell hochnäsig oder unsicher auf die lachende Person, denn auf ihn wirkt das Gelächter merkwürdig oder sogar feindselig.

Ein zu niedlicher oder sentimentaler Name kann ebenfalls problematisch sein. Ein Deutscher Schäferhund namens Schnucki legt vielleicht die Ohren an und sieht weg, wenn er seinen Namen hört, weil ihm das Gelächter missfällt, das er dabei oft zu hören bekommt.

Den Namen Ihres Hundes wirkungsvoll einsetzen

Nachdem Sie Ihren Vierbeiner getauft haben, müssen Sie seinen Namen auch wirkungsvoll und angemessen einsetzen. Ein Fehler, den Hundebesitzer häufig machen, ist der, dass sie den Namen ihres Hundes nicht nur benutzen, um ihn zu rufen, sondern ihn auch im Gespräch mit Freunden oder innerhalb der Familie erwähnen. Kommt dies zu häufig vor, schaltet der Hund irgendwann ab und reagiert nicht mehr, wenn er seinen Namen hört. Sie sollten sich überlegen, wie Sie ihn sonst noch bezeichnen können, wenn die Rede auf ihn kommt, vor allem, wenn er in Hörweite ist. Wenn Sie z. B. über ihn reden, während er gerade zu Ihren Füßen liegt, könnten Sie Umschreibungen verwenden und von Ihrem »vierbeinigen Freund« oder »haarigen Hausgenossen« reden.

Außerdem dürfen Sie den Namen Ihres Hundes keinesfalls verwenden, wenn Sie ihn zurechtweisen. Denn Ihr Hund reagiert freudiger und schneller auf seinen Namen, wenn dieser

Dieser Zwergschnauzer reagiert beim Klang seines Namens fröhlich, weil er ihn nur bei Lob zu hören bekommt oder um Gassi zu gehen, jedoch nie, wenn er ausgeschimpft wird.

immer andeutet, dass etwas Angenehmes wie das Abendessen oder ein Spaziergang zu erwarten ist. Wenn Sie Ihren Hund zurechtweisen wollen, verwenden Sie am besten ein entsprechendes Kommando wie »Aus!« oder »Lass das!«, anstatt streng seinen Namen zu sagen.

Entscheidend ist jedoch, dass Sie den Namen Ihres Hundes so benutzen, dass dem Hund und anderen Menschen klar wird, wie sehr sie ihn lieben und respektieren. Ein Hund reagiert sehr empfindlich auf Veränderungen in Ihrem Tonfall, Ihrem Gesichtsausdruck und Ihrer Körpersprache. Und je intelligenter ein Hund ist, desto deutlicher nimmt er die Einstellung seines Besitzers wahr.

KAPITEL ZWEIUNDZWANZIG

DIE RICHTIGEN KOMMANDOS

Einen wohlerzogenen Hund hat jeder gern um sich. Doch bevor Sie Ihren Hund
zu einem vorbildlichen Familienmitglied erziehen können, müssen Sie wissen,
welche Kommandos sich am besten eignen und warum.

Menschen lassen sich nicht gern herumkommandieren oder Befehle geben, de-
nen sie blind Folge zu leisten haben. Wir ziehen
einen gleichberechtigten Umgang miteinander
vor; jede Meinung soll gleich viel wert sein.

Wenn wir jedoch in einer Welt leben würden, die von Hunden beherrscht wird, hätten
wir eine ganz andere Perspektive. Hunde machen sich nichts aus Unabhängigkeit. Sie sind
im Gegenteil am liebsten Teil einer Gruppe, ob
diese Gruppe nun aus anderen Hunden oder
den Menschen besteht, bei denen sie leben. Befehle entgegenzunehmen ist aus der Sicht eines
Hundes Teil des Zugehörigkeitsgefühls. Durch
Befehle fühlen sie sich sicher aufgehoben
und wissen genau, wo sie stehen.

*Dieser vier Monate alte Labradormischling
lernt bereits im Welpenalter gute Manieren –
die beste Zeit, um damit anzufangen.*

Deshalb tun Sie Ihrem Hund sogar einen
Gefallen, wenn Sie ihm beibringen, Ihren Kommandos zu gehorchen. Manchmal haben Sie
vielleicht das Gefühl, dass er sich Ihretwegen
nicht recht entfalten kann, doch im Grunde genommen will er, dass Sie ihm sagen, was er tun
soll. Durch Kommandos – ob es sich um ein
einfaches »Sitz!« oder den Befehl, vom Sofa zu
verschwinden, handelt – weiß er genau, was von
ihm erwartet wird, und das gibt ihm Sicherheit.

Paradoxerweise genießen Hunde, die gut gehorchen, meist mehr Freiheiten als diejenigen
ohne irgendeine Art von Ausbildung. Ein Hund,
bei dem man sich darauf verlassen kann, dass er
kommt, wenn man ihn ruft, erhält in der
Regel mehr Freiraum zum Spielen als
seine weniger gehorsamen Artgenossen. Ein Hund, der nicht
an Leuten hochspringt, ist
eher mit von der Partie,
wenn Besuch kommt. Und
ein wohlerzogener Hund
darf vermutlich mehr Zeit
mit Ihnen verbringen.

Jeder Hund muss ein paar
grundlegende Kommandos
kennen. Doch es geht um
mehr, als nur einfache Be-

fehle wie »Komm!« oder »Platz!« zu geben. Einige Kommandos sind sehr viel effektiver als andere. Um die besten Kommandos auszuwählen, müssen Sie sich in Ihren Hund hineinversetzen, da sich seine Vorstellung von einem guten Kommando sicherlich ein wenig von Ihrer unterscheidet.

Klare Kommandos

Die meisten Hunde sind voller guter Vorsätze. Sie möchten ihren Besitzern gefallen und sind traurig, wenn ihnen das nicht gelingt. Warum gibt es also so viele ungehorsame Hunde? In den meisten Fällen liegt es daran, dass die Hundebesitzer nicht gelernt haben, sich mit ihrem Vierbeiner richtig zu verständigen. Hunde wollen gehorchen, doch sie verstehen nicht, was sie tun sollen. Hier ein paar Tipps, wie Sie Ihre Befehle so auf Ihren Hund ausrichten, dass er sie versteht.

Lenken Sie seine Aufmerksamkeit auf sich. Ein Grund, weshalb Hunde sich schlecht benehmen und Kommandos ignorieren, besteht darin, dass sie sich nicht angesprochen fühlen. Wenn Ihr Hund im Park spielt, hat er so viel Spaß daran, herumzurennen und überall herumzuschnuppern, dass der Ruf »Komm!« gar nicht zu ihm durchdringt. Darum empfehlen

Ein Hund, bei dem man sich wie bei diesem Viszla darauf verlassen kann, dass er kommt, wenn man ihn ruft, hat viel mehr Freiheiten als ein Hund, der nicht so zuverlässig ist.

Ausbilder, das Kommando mit einem Wort zu verbinden, das garantiert die Aufmerksamkeit des Hundes erregt. Das gelingt meist mit dem Namen: »Benno! Komm!«

Fassen Sie sich kurz. Hunde verstehen keine umständlichen Erklärungen oder Bitten, die aus mehreren Sätzen bestehen, weil sie das eine relevante Wort nicht aus dem Geräuschbrei herausfiltern können. Daher erntet eine Aufforderung wie »Benno, würdest du bitte endlich zu mir kommen?« vermutlich nur ausdruckslose Blicke. Hunde verstehen nur kurze Kommandos wie »Komm!« oder »Platz!«.

Seien Sie bestimmt. Wir neigen instinktiv dazu, immer höflich zu sein, selbst wenn wir einen Befehl erteilen. Doch das funktioniert bei Hunden nicht, denn was eigentlich wie ein Kommando sein soll, klingt dann häufig eher wie eine Frage. Wenn Sie am Ende Ihre Stimme heben, versteht Ihr Hund nicht, dass Sie ihm etwas befehlen, und er erkennt auch nicht, dass er darauf reagieren soll, weil er nicht das Gefühl hat, dass Sie es ihm befohlen haben.

Dieser Zwergpudel begreift, dass er etwas falsch gemacht hat, weil sein Besitzer ihn in strengem Tonfall tadelt.

Indem Sie Kommandos kurz und knapp fassen, weiß Ihr Hund am ehesten, dass Sie etwas von ihm wollen – und zwar sofort. Hunde lehnen einen solchen Tonfall nicht ab. Sie sind im Gegenteil immer dankbar, wenn wir deutlich machen, was wir von ihnen erwarten.

Seien Sie positiv. Positives Denken motiviert Hunde. Vor allem verstehen sie positiv formulierte Befehle – bei denen Sie ihnen sagen, was sie tun sollen – leichter als negative, mit denen Sie ihnen etwas verweigern. Angenommen, Ihr Hund bellt den Postboten an. Wenn Sie »Nein!« rufen, erregt das zwar seine Aufmerksamkeit, doch ist er sich vielleicht nicht sicher, auf was sich das Nein bezieht. Besser ist es, ihn mit »Komm!« zu rufen, wenn er bellt, und ihn zu belohnen, wenn er gehorcht. Dieses positive Kommando ist genauso effektiv, wenn

nicht sogar effektiver als das negative Kommando, weil Ihr Hund genau weiß, was Sie von ihm wollen.

Sprechen Sie im richtigen Tonfall. Hunde reagieren äußerst empfindsam auf die kleinste Veränderung im Tonfall. Das bedeutet, dass Ihr Tonfall darüber entscheidet, ob ein Kommando richtig oder falsch ist.

In den meisten Situationen ist ein sachlicher Tonfall am besten, denn er klingt bestimmt, ohne unfreundlich zu wirken. Mancher Hund gehorcht jedoch nur zögernd. Wenn er z. B. gerade mit anderen Hunden spielt, will er sehr wahrscheinlich nicht zu Ihnen kommen. Sie müssen ihn davon überzeugen, dass es genauso viel Spaß macht, zu Ihnen zu kommen, wie mit den anderen herumzutollen. Daher sollten Sie ihn mit einer hohen, fröhlichen Stimme rufen.

Es gibt aber kein Allheilmittel, um trödelnde Vierbeiner zu sich zu rufen. Die beste Methode ist die, den Hund bei seinem Namen zu rufen und dann zu sagen: »Komm her!« Das Wort »her« sollte mit hoher Stimme ausgesprochen werden. Hunde, die so gerufen werden, gehorchen meist eifrig.

Bleiben Sie konsequent. Auch wenn Hunde den Klang einzelner Wörter identifizieren können, verstehen sie nicht unbedingt deren Bedeutung. Sie können Verwirrung nur vermeiden, indem Sie immer dieselben Kommandos verwenden. Wenn Sie Ihrem Hund heute sagen »Nicht auf den Sessel!« und morgen »Runter da!«, hat er nicht die geringste Ahnung, was Sie ihm sagen wollen.

Welche Kommandos Sie benutzen, ist gar nicht so wichtig, am effektivsten sind in jedem Fall diejenigen, die Sie konsequent benutzen.

KAPITEL DREIUNDZWANZIG

HANDZEICHEN

Hunde verstehen vieles, indem sie Menschen beobachten und auf deren Körpersprache reagieren. Deshalb sind Handzeichen ein sehr wirkungsvolles Kommunikationsmittel.

Der drei Jahre alte Sheltie Max hatte es sehr gern, wenn die Mitglieder seiner Familie telefonierten. Sobald einer von ihnen den Hörer abnahm, begann Max, sich lautstark einzumischen, indem er bellte und melodisch jaulte. Natürlich gingen seinen Besitzern die ohrenbetäubenden Gesprächsbeiträge ziemlich auf die Nerven. Sie überlegten, wie sie ihn ohne Worte zum Schweigen bringen konnten. Ihre Lösung: Handzeichen. Wenn Max heute beim ersten Klingeln angelaufen kommt, macht jeder, der den Hörer abnimmt, ein Handzeichen, mit dem er ihm befiehlt, sich zu setzen. Wenn er das Maul öffnet, um zu bellen, legt der Betreffende einen Finger auf die Lippen, und Max hört sofort auf.

Dass Handzeichen sinnvoll sein können, ist hier offensichtlich. Aber es gibt noch mehr Situationen, in denen Sie Ihre Hände zur Verständigung mit Ihrem Hund benutzen können.

Die Vorteile von Handzeichen

Es ist oft leichter, einem Hund beizubringen, auf Handzeichen zu achten als auf Hörzeichen, sagen erfahrene Hundeausbilder. Bei der Abrichtung reagiert ein Hund oft nicht so rasch auf ein Wort wie auf die Körpersprache.

Ein Beispiel: Ein Hund lernt sehr schnell, sich auf Kommando hinzulegen, wenn man Leckerbissen und Handzeichen einsetzt. Wenn Sie lediglich das Wort »Platz!« benutzen, um ihm dies beizubringen, wird er sich unter Umständen erst hinlegen, wenn Sie die entsprechende

Handzeichen sind bei Lärm sehr nützlich: Dieser Staffordshire-Bullterrier und seine Besitzerin bleiben an einer verkehrsreichen Straße stehen.

Handbewegung dazu machen. Es müssen sich schon beide Seiten Mühe geben, damit der Hund begreift, dass das Wort allein sein Signal ist. Es gibt auch Situationen, in denen es ohnehin vorteilhaft ist, wenn der Hund auf Handzeichen reagiert und sich nicht nur auf Hörzeichen verlassen muss. Zum Beispiel:

• **Wenn es zu laut ist.** Sie können sich durch Handzeichen mit Ihrem Hund verständigen, wenn es so laut ist, dass er Sie kaum hören kann. Wenn Ihr Hund z. B. in Sichtweite ist, aber so weit weg, dass Sie ihn nicht rufen können, sagt ihm eine ausladende Armbewegung, dass es Zeit für ihn ist, zu Ihnen zurückzukommen.

Wenn Sie in der Stadt an einer lauten Straße stehen oder sich am Strand aufhalten, wo die Brandung rauscht, können Sie sich auch durch Handzeichen verständigen. Und wenn Sie Ihrem Hund etwas mitteilen wollen, ohne dabei Lärm zu machen – weil z. B. gerade jemand schläft –, sind Handzeichen auch die Lösung.

• **Wenn Ihr Hund taub ist.** Viele Hunde werden mit zunehmendem Alter schwerhörig.

Bei Hunden, die wie dieser Collie taub zur Welt kommen, können Handzeichen Hörzeichen ganz ersetzen.

RASSENSPEZIFISCHES

Bei einigen Rassen kommt Taubheit häufiger vor als bei anderen. Die beiden Gene, die für weißes oder Blue-Merle-Fell verantwortlich sind – wie bei Collies, Shelties und Bullterriern –, führen oft auch zur Taubheit. Dalmatiner besitzen beide Gene – ein Drittel von ihnen wird taub geboren.

Bringt man seinem Hund bereits in jungen Jahren bei, auf Handzeichen zu reagieren, ist er schon an sie gewöhnt, wenn er später taub werden sollte, und man muss die Ausbildung nicht wieder von vorn beginnen.

Wenn ein Hund erst im hohen Alter sein Gehör verliert, aber bereits an Handzeichen gewöhnt ist, gehorcht er nicht nur diesen Kommandos, sondern lernt unter Umständen sogar neue hinzu. Dass er die Handzeichen versteht, stärkt sein Selbstbewusstsein und wirkt manchmal sogar lebensverlängernd.

Missverständliche Gesten

Eigentlich kann ein Mensch durch ein Handzeichen oder eine Handbewegung einen Hund nicht gegen sich aufbringen – im Gegensatz zu der unhöflichen Geste eines anderen Hundes.

Ein paar Gesten können aber dennoch negative Reaktionen hervorrufen, vor allem bei Hunden, die schüchtern, aggressiv oder nervös sind.

Ein Beispiel: Wenn Sie sich einem fremden Hund nähern und Ihre Hand nach unten ausstrecken, um von oben seinen Kopf zu tätscheln, zuckt er möglicherweise zurück oder schnappt nach Ihnen. Um sich in die Lage des Hundes zu versetzen, stellen Sie sich vor, dass ein Fremder versucht, Sie im Nacken zu packen – ein Mensch würde das als Übergriff empfinden und sich darüber aufregen. So ähnlich geht es dem Hund.

Ausbilder empfehlen, den Hund an der ausgestreckten Hand schnuppern zu lassen, bevor Sie ihn streicheln. Das gehört unter Hunden einfach zum guten Ton. Wenn fremde Hunde einander begrüßen, beschnuppern sie sich erst

Dieser Rottweiler akzeptiert die unbekannte Frau eher, wenn er an ihrer Hand schnuppern darf, bevor sie ihn streichelt.

einmal, bevor sie herumtollen und spielen. Nur ein Hund mit schlechtem Sozialverhalten versucht, auf einen fremden Hund zuzulaufen und sich vor einer anständigen Begrüßung spielerisch auf ihn zu stürzen. Ihm wird in der Regel eine ordentliche Abfuhr erteilt. Das ist so, als würden wir einem wildfremden Menschen um den Hals fallen, anstatt ihm die Hand zu geben.

Plötzliche Bewegungen, und seien es nur Handbewegungen, können einen Hund erschrecken oder ihm Angst einjagen, selbst wenn sie gar nicht auf ihn gemünzt sind. Hunde beziehen nämlich alles in ihrer Umgebung auf sich. Jede Bewegung, die Sie in der Nähe eines Hundes machen – Sie klopfen z. B. einem Freund auf den Rücken oder umarmen Ihre Freundin –, hat für diesen Hund eine Bedeutung. Ein Hund missversteht ein solches Verhalten unter Umständen und denkt, sein Besitzer wird bedroht, woraufhin er sich bemüßigt fühlt, ihn zu verteidigen.

Abrichten mit Handzeichen

Sie können die Erziehung eines Hundes mit Handzeichen unterstützen, vor allem, wenn Sie dabei Leckerbissen oder Belohnungen einsetzen. Mit einer Kombination von Handzeichen und Leckerbissen können Sie Ihren Hund dazu bringen, sich so zu verhalten, wie Sie es möchten, und ihn anschließend dafür belohnen. Je öfter ein Hund für ein bestimmtes Verhalten belohnt wird, desto eher wird er dieses Verhalten wiederholen. Handzeichen können auch Hörzeichen unterstützen – und wenn ein Hund lernt, ein Handzeichen mit einem bestimmten Verhalten zu koppeln, reagiert er bald allein auf das Handzeichen.

Handzeichen und wie man sie lehrt

Ihr Hund muss keine Zeichensprache beherrschen, um auf Handzeichen reagieren zu können. Die meisten Hunde lernen die grundlegenden Kommandos sehr rasch.

»Bleib!«

1 Zeigen Sie Ihrem Hund, der sitzt oder liegt, Ihren Handteller (Fingerspitzen nach oben). Gehen Sie einen Schritt zurück und wieder vor, loben den Hund und geben ihm ein Leckerli.

2 Wiederholen Sie das Ganze und gehen Sie jetzt zwei Schritte zurück. Vergrößern Sie allmählich die Distanz und verlängern Sie die Wartezeit. Lassen Sie außerdem mehr Ablenkung in der Umgebung zu – wie Hintergrundgeräusche und Menschen, die herumlaufen.

»Platz!«

1 Sorgen Sie dafür, dass Ihr Hund sich setzt. Halten Sie ein Leckerli vor sein Gesicht. Bewegen Sie Ihre Hand zum Boden und ziehen Sie sie ein wenig von ihm weg. Ihre Hand sollte der Form eines großen L folgen.

2 Während der Hund Ihrer Hand mit den Augen folgt, legt er sich hin. Wenn er das tut, belohnen Sie ihn mit dem Leckerli

»Sitz!«

1 Nehmen Sie einen Hunde-keks in die Hand. Nachdem Sie seine Aufmerksamkeit er-regt haben, zeigen Sie ihm den Keks in Ihrer Hand und heben ihn hoch über seinen Kopf.

2 Wenn er mit den Blicken Ihrer Hand folgt, bewegt sich sein Rumpf automatisch gen Boden. Wenn er richtig sitzt, loben Sie ihn ausgiebig und geben ihm den Keks.

»Komm!«

1 Zunächst wenden Sie sich Ihrem Hund zu, der unge-fähr einen oder zwei Meter entfernt ist. Sagen Sie den Namen Ihres Hundes und das Wort »Komm!«. Während Sie »Komm!« sagen, breiten Sie einen Arm nach hinten aus.

2 Dann führen Sie Ihren Arm wieder nach vorn und legen ihn auf die Brust. Reagiert Ihr Hund nicht auf Hand- und Hörzeichen, locken Sie ihn mit einem Leckerli an.

KAPITEL VIERUNDZWANZIG

BERÜHRUNGEN

Hunde sind Experten, wenn es darum geht, ihren Tastsinn einzusetzen, um sich zu verständigen. Wenn wir wissen, wie Hunde gern berührt werden und welche Bedeutung dies für sie hat, können wir die Sprache der Berührung ebenfalls lernen.

Hunde verlassen sich so sehr auf ihren Tastsinn, dass Menschen das kaum nachvollziehen können. Vor allem wenn es um emotionale Bindungen geht, ist der Tastsinn wichtiger als Sehen, Riechen und Hören. Welpen stupsen mit Nase und Pfoten die Zitzen ihrer Mutter an, um die Milchproduktion anzuregen. Sie werden selbst im Schlaf unruhig, wenn ihre Mutter sich von ihnen entfernt, und entspannen sich erst, wenn sie einander wieder berühren.

Die Sprache der Berührung beherrschen Hunde schon im Welpenalter. Ihr ganzes Leben lang ähnelt die Interaktion mit anderen Hunden und Menschen einem Sport mit Körperkontakt. Doch unter Hunden hat ein Rempler mit der Hüfte, ein Schnauzenstoß oder ein Stups mit der Pfote jeweils eine ganz bestimmte Bedeutung.

Die Bedeutung von Berührung

Hunde verbringen sehr viel Zeit damit, herauszufinden, welche Position sie innehaben; mit Hilfe von Berührungen üben sie Kontrolle aus oder ordnen sich unter. Wenn sich zwei Hunde begegnen, rempelt vielleicht ein Hund den anderen mit der Schulter an. Das mag wie ein spielerischer Stups aussehen – und das ist er in vielen Fällen auch –, doch es kann auch bedeuten: »Ich kann dich herumschubsen, also sieh dich vor.« Ein Schnauzenstoß soll Autorität vermitteln. Schüchterne Hunde setzen kaum solche Berührungen ein, wohingegen von Natur aus dominante Hunde sie ständig verwenden. Bei ihrem Umgang miteinander geht es Hunden natürlich nicht nur um den Rang.

Vom Augenblick ihrer Geburt an kommunizieren Welpen wie diese Bernhardiner durch Berührungen. Die Mutter und ihre Welpen entspannen sich nur, wenn sie einander berühren.

Hunde spielen gern, und sobald die Frage, wer das Sagen hat, geklärt ist, setzen sie eine Reihe von Berührungen ein, die signalisieren, ob sie bereit sind, sich zu amüsieren – oder nicht.

Einige der Signale, mit denen Hunde ihren Rang bestimmen, indem sie z. B. ihre Pfoten auf die Schultern eines anderen Hundes stützen oder ihn anrempeln, sind ebenfalls nur freundliches Vorgeplänkel. Ein Hund, der einen anderen mit der Nase anstupst und dabei mit dem Schwanz wedelt oder seinen Kopf auf die Vorderpfoten legt, will damit ausdrücken, dass er spielen will. Selbst Berührungen, die bedrohlich aussehen – wenn ein Hund das Nackenhaar eines anderen packt –, können freundlich gemeint sein, solange die Hunde einander kennen und gleichzeitig andere Spielsignale zeigen.

Man kann allerdings nicht sicher sein, was ein Hund wirklich mitteilen möchte, wenn man nur die Berührungen beobachtet. Behalten Sie das Gesamtbild im Auge und achten Sie auch darauf, wie der Hund sich bewegt, ob er »lächelt«, oder wie er mit dem Schwanz wedelt. Durch Lecken kann ein Hund sowohl um Aufmerksamkeit bitten als auch Unterwürfigkeit signalisieren. Wenn es Ihrem Hund in der Vergangenheit gelungen ist, Ihnen Zuwendung zu entlocken, indem er seine Schnauze an Ihrer Hand reibt, wird er dies wahrscheinlich immer dann tun, wenn er Zuneigung spüren möchte.

Die Berührung erwidern

Hunde wachsen mit der Sprache der Berührung auf, Menschen müssen sie erst lernen. Doch Hunde sind geduldig. Sie verstehen, dass Menschen manchmal etwas langsam sind, und bieten

Dieser Retrievermischling zeigt sich dominant, indem er seine Pfoten auf den Rücken seines Spielkameraden stützt, sein wedelnder Schwanz signalisiert jedoch, dass er es nicht ernst meint.

ein ganzes Repertoire an Berührungen auf, um auszudrücken, was sie sagen wollen.

Angenommen, ein Hund hat den Wunsch nach etwas Aufmerksamkeit. Wäre er mit einem anderen Hund zusammen, würde er ihn ein paarmal anstupsen, mit dem Schwanz wedeln – und die Sache wäre geregelt. Doch ein Hund weiß aus Erfahrung, dass Menschen auf solche subtilen Signale nicht reagieren. Also wird er etwas deutlicher. Einem Lecken an Ihrer Hand wird er eventuell einen leichten Schnauzenstoß folgen lassen. Oder er reibt sich an Ihren Beinen und legt den Kopf auf Ihre Knie. Er weiß, dass Sie sich ihm früher oder später zuwenden und ihn streicheln werden oder ihm, wenn er viel Glück hat, etwas zu fressen geben. Mit der Zeit lernt ein Hund, welche Berührungen Sie am ehesten verstehen, und fängt erst einmal mit diesen einfachen Signalen an.

Hunde können ihren Besitzern ganz gut verständlich machen, was sie möchten, doch umgekehrt funktioniert das meist nicht so gut. Menschen gehen davon aus, dass Berührungen, die ihnen angenehm sind, ihren Hunden auch gefallen. Doch das führt häufig zu Verwirrung. So schütteln wir z. B. einander die Hand, wenn wir uns begrüßen, doch Hunde lassen sich nicht gern an den Pfoten anfassen. Wir legen einander den Arm um die Schultern; unter Hunden gilt eine solche Geste normalerweise als Drohung.

Die Sprache der Berührung ist leicht zu lernen. Die meisten Botschaften können Sie mit einigen wenigen Berührungen vermitteln. Im Folgenden werden die wichtigsten beschrieben:

Hab keine Angst. Hunde begrüßen einander gewöhnlich, indem sie den Kopf senken und den

Körper ziemlich nah am Boden halten. Das tun sie deshalb, weil ein Hund, der sich aufrichtet, als herausfordernd gilt. Und hier beginnt die Verwirrung. Menschen sind viel größer als Hunde. In ihren Augen sind wir übermächtig. Aufgrund unserer Größe beugen wir uns oft hinunter und tätscheln den Teil von ihnen, der uns am nächsten ist: die Oberseite ihres Kopfes. Hunde fühlen sich dadurch jedoch herausgefordert.

Am ehesten beruhigen wir Hunde, indem wir die Form unserer Begrüßung ändern: wenn wir uns z. B. nicht nur hinknien, sondern den Hund auch unter dem Kinn oder auf der Brust anstatt am Kopf kraulen. Das verunsichert Hunde sehr viel weniger.

Bleiben Sie locker. Wenn Ihr Hund Anzeichen von Anspannung zeigt – weil er z. B. gebürstet wird oder zum Tierarzt soll –, sorgen Sie dafür, dass er sich hinlegt. Anschließend legen Sie Ihre Hand auf seine Leistengegend, das beruhigt ihn. Beruhigende Wirkung hat es auch, wenn Sie langsam seine Flanken oder seine Brust streicheln. Es ist erwiesen, dass dies den Pulsschlag und den Blutdruck senkt.

Mir gefällt, was du da tust. Da jeder Hund sich nach Körperkontakt sehnt, vermittelt ihm nahezu jede Berührung, dass Sie zufrieden mit ihm sind. Sie können Berührung als Belohnung einsetzen und so dieses Verhalten noch unterstützen. Wenn Sie sanft an seinen Ohren ziehen oder seinen Bauch kraulen, weiß er, dass Sie sich über ihn freuen.

Dieser Schäferhund weiß, dass seine Besitzerin ihn nicht herausfordern will, weil sie sich hinkniet, um ihn zu begrüßen. Zusätzlich beruhigt es ihn, dass sie ihn unter dem Kinn krault.

Unerwünschte Berührungen

Einen Hund zu verärgern, dem nichts mehr gefällt, als von Ihnen ein wenig Aufmerksamkeit zu bekommen, ist normalerweise sehr schwer. Doch viele Hundebesitzer denken häufig nicht daran, dass das, was sie selbst als angenehm empfinden, von ihrem Hund ganz anders aufgenommen wird. Es gibt Berührungen – und seien sie auch noch so sanft oder gut gemeint –, die Hunde nicht mögen.

Die meisten Hunde werden ungern an den Pfoten angefasst. Auch Experten sind sich nicht sicher, warum sie das so stört. Möglicherweise sind sie kitzlig, und die Berührung ist ihnen unangenehm. Hunde berühren einander nur selten an den Pfoten.

Auch auf eine Umarmung legen Hunde keinen Wert. Aus dem Repertoire der Hundezärtlichkeiten kommt das Umhertragen der Welpen im Maul der Mutter einer Umarmung

Die meisten Hunde lassen sich nicht gern an den Pfoten anfassen. Wenn Sie aber schon im Welpenalter damit anfangen, gewöhnen sie sich daran.

am nächsten. Davon abgesehen drücken Hunde untereinander ihre Zuneigung nicht durch übermäßig engen Körperkontakt aus. Vermutlich empfinden Hunde eine Umarmung unterbewusst sogar als Angriff. Außerdem assoziieren Hunde mit dieser Umklammerung möglicherweise das Aufreiten eines dominanten Hundes. Umarmungen schränken Hunde in ihrer Bewegungsfreiheit ein, und das haben sie nun einmal nicht so gern.

Aus diesem Grund sollten Sie Ihren Hund auch nicht tadeln, indem Sie seinen Kopf zwischen Ihre Hände nehmen. Diese Geste ist ihm unangenehm, weil er sich dann gefangen fühlt.

EINE HAARIGE SACHE

Der Tastsinn ist für Hunde sehr wichtig. Ein dichtes Fell beeinträchtigt diese Empfänglichkeit jedoch, weil es sie wie eine Schutzschicht umgibt. Um dies auszugleichen, sind Hunde mit besonderen Tastrezeptoren ausgestattet, die ihnen gestatten, auch subtile Signale aufzufangen.

Diese Rezeptoren bestehen aus Sinneshärchen, die in Hautpartien eingebettet sind, die besonders gut durchblutet sind und an denen viele Nervenstränge enden. Sie befinden sich über den Augen, unter dem Maul und auf der Schnauze. Hunde erfahren mittels dieser empfindlichen Härchen mehr über ihre Umgebung: z. B. über Luftströme sowie die Beschaffenheit und Form eines Gegenstands.

KAPITEL FÜNFUNDZWANZIG

»SPRECHENDE« GERÜCHE

Der leistungsfähigste Sinn bei Hunden ist der Geruchssinn.
Mit seiner Hilfe erfahren sie faszinierende Einzelheiten über ihre Umwelt und
verständigen sich mit anderen Hunden.

Der Geruchssinn von Hunden verblüfft. Auf bestimmte Gerüche reagieren Hunde millionenfach empfindlicher als Menschen. Es überrascht daher nicht, dass Hunde sehr viel mittels Gerüchen kommunizieren. Beobachten Sie Ihren Hund beim nächsten Spaziergang doch einmal genauer. Sie werden feststellen, dass er relativ wenig Zeit damit verbringt, sich umzusehen, weil er seine ganze Aufmerksamkeit dem widmet, was buchstäblich vor seiner Nase liegt.

Das erklärt, warum selbst gut abgerichtete Hunde sofort zum nächsten Laternenpfahl oder zum nächsten Baum laufen. Ihre Hundenase ist so empfindlich, dass sie den Geruch eines anderen Hundes wahrnehmen, auch wenn der Duft bereits Stunden oder sogar Tage alt ist. Mit einem kurzen Schnuppern kann ein Hund das Geschlecht des Urhebers feststellen und weiß, ob der andere aggressiv oder unterwürfig und ranghöher oder -niedriger war als er selbst. Er »redet« mit anderen Hunden, indem er an ihrer Duftmarke schnuppert oder selbst eine hinterlässt.

Das instinktive Bedürfnis eines Hundes, zu schnuppern und beschnuppert zu werden, kann bei Spaziergängen manchmal lästig sein. Ihnen eröffnet dieser ausgeprägte Geruchssinn aber auch die Möglichkeit, Gerüche für die Erziehung und die Kommunikation einzusetzen.

Beruhigen durch Gerüche

Hunde sind Gewohnheitstiere, die es nicht leiden können, wenn sich an ihrem Tagesablauf ständig etwas ändert. Als Hundebesitzer können Sie mit Hilfe von Gerüchen erreichen, dass sich Ihr Tier mit ungewohnten oder schwierigen

Wenn der Besitzer dieses Beagles verreist und ihn bei Freunden unterbringt, lässt er immer ein Kleidungsstück bei ihm zurück. Der vertraute Geruch beruhigt den Hund und gibt ihm Sicherheit.

Warum wälzen sich Hunde im Dreck?

Hunde haben viele liebenswerte Angewohnheiten, doch sich in stinkendem Dreck zu wälzen zählt nicht dazu. Leider kann man sie kaum davon abhalten. Es spielt keine Rolle, ob sie auf einem Reitweg unterwegs sind oder am Tag der Müllabfuhr den Abfall der Nachbarschaft erforschen, sie lieben es, sich in etwas übel Riechendem zu wälzen.

Menschen empfinden es als unangenehme Angewohnheit – für Hunde ist es ganz selbstverständlich. Ein wilder Hund auf der Jagd will eben nicht riechen wie ein Hund, sondern wie seine Beute. Also rollt er sich in Kot oder Kadavern, weil er damit seinen eigenen Geruch überdecken will.

Heutzutage sind Hunde höchstens hinter dem Futternapf auf dem Küchenboden her, doch sie wollen trotzdem vorbereitet sein und richtig riechen – nur für alle Fälle.

Umständen besser abfindet. Wenn Sie Ihren Hund woanders unterbringen müssen, können Sie es ihm leichter machen, indem Sie ihm ein ungewaschenes T-Shirt oder ein anderes Kleidungsstück mitgeben. Er wird weniger ängstlich sein, weil ihn der vertraute Geruch beruhigt.

Hunde reagieren auf ungewohnte Situationen manchmal ebenso nervös wie auf fremde Menschen. Stellen Sie dem Hund einen Neuankömmling in der Familie – wie z. B. ein Baby – deshalb vor, indem Sie ihn vor der ersten Begegnung an einem Kleidungsstück des Betreffenden (oder an der Babydecke) schnuppern lassen.

Hunde, die Menschen kennen lernen, indem sie erst einmal ihren Geruch wahrnehmen, empfinden dies als die »korrekte« Form, sich mit einem Fremden vertraut zu machen, und werden den Betreffenden später eher akzeptieren.

Erziehung mit Gerüchen

Hunde spüren mit Hilfe ihrer Nase verlockende Dinge auf. Sie verlassen sich aber auch auf ihre Nase, um sich von gefährlichen Dingen fern zu halten. Daher können Sie Gerüche einsetzen, um Ihrem Hund beizubringen, was er nicht tun soll.

Ein Beispiel: Sie können Ihren Hund davon abhalten, Essen vom Tisch zu stibitzen, indem Sie rund um den Tisch ein paar Spritzer stark duftenden Anisöls verteilen und vor dem Keksblech ein paar leere Konservendosen aufbauen, die mit lautem Getöse herunterfallen, wenn er sich mit der Schnauze den Keksen nähert. Der Hund wird den Geruch des Anisöls mit dem Furcht erregenden Lärm in Verbindung bringen. Nach einer Weile reicht das Anisöl, um ihn von den Keksen fern zu halten. Auch mit Gerüchen, die Hunde nicht mögen, kann man ihnen etwas beibringen. So können Halsbänder mit Zitronengrasduft Hunde vom Bellen abhalten. Die Duftwolke, die beim Bellen aufsteigt, überzeugt den Hund rasch davon, dass er besser Ruhe gibt, bevor er wieder diesen Geruch ertragen muss.

Doch nicht nur der Geruch selbst, auch die Tatsache, dass er fehlt, teilt Hunden etwas mit. Wenn ein Hund z. B. im Haus uriniert hat, kehrt er manchmal an dieselbe Stelle zurück, weil ihn der Geruch, der noch in der Luft hängt, magisch anzieht. Deshalb müssen Sie nicht nur den Fleck, sondern auch den Geruch beseitigen.

KAPITEL SECHSUNDZWANZIG

TÖNE UND GERÄUSCHE

Selbst wenn Hunde fest schlafen, haben sie immer ein offenes Ohr.
Sie verlassen sich sehr viel mehr auf ihr Gehör als Menschen. Daher sind Töne
und Geräusche ein wirkungsvolles Kommunikationsmittel.

Hunde haben ein viel besseres Gehör als Menschen. Sie hören Geräusche aus viermal so großer Entfernung. Sie nehmen auch hohe Töne wahr, die unsere Ohren nicht hören können. Hunden ist ihr Gehör sehr wichtig, weil sie sich viel mehr darauf verlassen als Menschen. Wenn wir mit unserem Hund reden, hört er nicht nur auf das, was wir sagen, sondern auch auf den Klang unserer Stimme.

Doch die menschliche Stimme macht nur einen kleinen Teil des allgegenwärtigen Klangspektrums aus: Hunde lauschen auch dem Rascheln von Keksen in der Tüte, der knarrenden Stufe vor der Haustür oder dem Öffnen einer Schublade, in der die Leine aufbewahrt wird. So versuchen sie ständig zu erfahren, was auf sie zukommt. Die meiste Zeit bringen wir unseren Hunden etwas bei, ohne es zu wissen, denn Hunde achten ständig auf irgendwelche Hinweise, die sie interpretieren können.

Weil Hunde von Natur aus neugierig sind, können wir uns ihre Neugier zunutze machen, indem wir ihnen akustische Botschaften übermitteln.

Dieser Australische Hirtenhund holt immer dann die Leine, wenn Frauchen mit dem Hausschlüssel rasselt, weil dies das Signal für einen Spaziergang ist.

Grundvokabular

Fast alle Hundebesitzer sprechen mit ihren Vierbeinern – nicht nur, wenn sie sie loben oder ihnen Kommandos geben. Sie teilen ihnen auch ihre Gefühle mit oder machen sie auf etwas aufmerksam, wie z. B.: »Siehst du den Ball dort?«

Auch Experten wissen nicht, wie gut ein Hund die menschliche Sprache tatsächlich versteht. Sehr gut abgerichtete Hunde (z. B. für den

Einsatz in Film- und Fernsehproduktionen) verstehen Dutzende von Kommandos, und fast jeder normale Hund versteht zumindest ein paar Schlüsselwörter wie »Gassi«, »Fressi« sowie ein paar komplexere Ausdrücke. Die meisten Hundebesitzer können ihren Vierbeinern fünf bis zehn Wörter beibringen, und wenn sie sich Mühe geben, auch noch ein paar mehr.

Fünf bis zehn Wörter – das klingt nicht nach viel. Damit werden gerade die Kommandos abgedeckt, die jeder Hund kennen muss, wie z. B. »Sitz!«, »Komm!«, »Platz!« oder »Bleib!«. Doch Hunde geben sich nicht mit dem Kommando allein zufrieden. Sie hören zwar stets zu, wenn wir etwas sagen, denken sich aber ihren Teil dazu. In der Regel ziehen sie auch die richtigen Schlüsse.

Selbst wenn ein Hund eine für ihn relativ komplexe Aufforderung wie »Hol den Ball!« nicht versteht, sagt ihm die Erfahrung, was Sie ihm mitteilen wollen, und bald hat er keine Probleme mehr damit zu verstehen, auf was Sie hinauswollen. Hunde nehmen auch Geräusche wahr, die wir nicht weiter beachten. Wenn Ihr Computer z. B. beim Abschalten »Auf Wiedersehen« sagt, versteht Ihr Hund zwar die Worte nicht, lernt jedoch, dass »Auf Wiedersehen« bedeutet, dass Sie aufhören zu arbeiten und bald zum Spielen mit ihm nach draußen gehen.

Hunde messen Wörtern nicht die gleiche Bedeutung zu wie Menschen, deshalb können Sie

Dieser Shiba-Inu erkennt am fröhlichen Tonfall seiner Besitzerin, dass sie mit ihm zufrieden ist.

auch nicht erwarten, dass Hunde stets sofort ihren Wortschatz erweitern. Ein Hund muss das Wort oder den Ausdruck mindestens ein paarmal hören, bevor er etwas damit anfangen kann. Doch wenn sie das Wort oder den Satz mit etwas Angenehmem wie einem Spaziergang verknüpfen, stellt er die Verbindung ziemlich rasch her.

Nehmen wir an, Sie wollen Ihrem Hund die Bedeutung von »Lauf!« beibringen. Sagen Sie ein- oder zweimal am Tag »Lauf!«, wenn Sie vor dem Hinausgehen die Leine in die Hand nehmen. Sorgen Sie dafür, dass Ihr Hund Sie dabei sieht und hört. Es wird nicht lange dauern, und er hat gelernt, was »Lauf!« bedeutet. Er wird zeigen, dass er Sie verstanden hat, indem er mit dem Schwanz wedelt und aufgeregt herumspringt. Das können Sie auch mit Wörtern wie »Essen«, »Ball« oder »Komm her!« wiederholen.

Selbstverständlich versteht ein Hund unter einem Wort nie genau dasselbe wie wir. Dafür begreift er andere Aspekte wie Klang und Betonung. Um uns Hunden verständlich zu machen, müssen wir nicht nur auf das achten, was wir sagen, sondern auch darauf, wie wir es sagen.

Der Tonfall

Hunde reagieren auf das kleinste Geräusch, daher verwundert es nicht, dass sie auch auf den Klang der menschlichen Stimme sehr sensibel reagieren. Einige Experten glauben sogar, dass bei der Kommunikation mit einem Hund der Tonfall wichtiger ist als die einzelnen Wörter.

Sie können das ausprobieren, indem Sie Ihrem Hund sagen, er sei der jämmerlichste, dümmste Köter der Welt. Solange Sie dies in fröhlichem Ton sagen, wird er mit dem Schwanz wedeln und erfreut hin und her wackeln.

Wenn Sie im Gegensatz dazu Ihrem Hund mit strenger, tiefer Stimme erzählen, wie wunderbar er sei, wird er ein wenig nervös werden. Vielleicht legt er die Ohren an, lässt die Rute sinken und versucht, sich so klein wie möglich zu machen. Er wird unglücklich sein und sich Sorgen machen, dass er Sie verstimmt hat, weil er den Tonfall wieder erkennt – denn so sprechen Sie mit ihm, wenn Sie sich über ihn ärgern.

Viele Ausbilder empfehlen, beim Umgang mit Hunden drei unterschiedliche Tonlagen einzusetzen. Kommandos sollten Sie mit fester und gleichmäßiger Stimme geben. Bei Lob wirkt eine fröhliche und relativ hohe Stimme am besten. Um einen Hund zu tadeln, sollte die Stimme tief und missbilligend klingen.

Diese unterschiedlichen Tonlagen sind wirkungsvoll, weil sie den Klang von Hundestimmen bei der Verständigung untereinander nachahmen. Eine ausgeglichene Stimme ist beispielsweise mit dem normalen Alltagsgebell eines Hundes vergleichbar und daher ideal für Kommandos und andere sachliche Botschaften. Eine hohe Stimme ähnelt dem aufgeregten Bellen und ist daher gut geeignet, um Lob und Freude auszudrücken. Eine tiefe, strenge Stimme erinnert den Hund an das missbilligende Knurren seiner Mutter und wird daher am besten eingesetzt, um sein Verhalten zu korrigieren.

Es ist natürlich nicht immer leicht, die Stimme so zu variieren, dass die Aufmerksamkeit des Hundes in eine bestimmte Richtung gelenkt wird. Männer mit tiefer Stimme können diese meist nicht so anheben, dass ihr Hund sofort begreift, dass er gelobt wird. Frauen mit hoher Stimme können wiederum ihre Stimme oft nicht so weit senken, dass sie ihre Vierbeiner wirkungsvoll tadeln können. Es überrascht also nicht, dass viele Männer Hunde besser tadeln und viele Frauen Hunde besser loben können.

Für Männer und Frauen gleichermaßen wichtig ist auf jeden Fall, dass der Tonfall mit dem Inhalt der Botschaft übereinstimmt. Wenn man einen Hund auffordert, sich hinzulegen, und dabei am Ende die Stimme hebt, klingt es wie eine Bitte. In dem Fall braucht man sich nicht zu wundern, dass der Hund nicht gehorcht, denn er hat kein Kommando gehört.

Jenseits der Sprache

Die Tatsache, dass Hunde sich weniger auf Wörter und mehr auf Geräusche verlassen, um ihre Umwelt zu begreifen, können Sie sich zunutze machen, um Ihren Hund zu erziehen und die Verständigung mit ihm zu verbessern.

Angenommen, Sie möchten nicht, dass Ihr Hund bettelt, während Sie beim Essen sitzen. Sie können es natürlich mit den Befehlen »Aus!« oder »Nicht betteln!« versuchen. Sie können sich aber auch einfach räuspern und ihn anstarren.

Für andere hören

Einige Hunde lauschen den Geräuschen des Alltags nicht nur, weil sie es spannend finden, sondern weil sie damit schwerhörigen oder gehörlosen Menschen einen unschätzbaren Dienst erweisen. Diese speziell ausgebildeten, intelligenten und eifrigen Hunde werden so abgerichtet, dass sie ihre Besitzer alarmieren, wenn es an der Tür klingelt, der Feueralarm losgeht, das Telefon oder der Wecker klingelt. Sie können sogar Eltern alarmieren, wenn ihr Baby weint.

Für diese Aufgaben werden meist Tiere ausgesucht, die aus dem Tierheim stammen. Sie werden danach ausgewählt, wie gut sie bestimmte Geräusche erkennen und wie sie auf sie reagieren. Ein Standardtest besteht darin, einen Wecker klingeln zu lassen. Läuft der Hund auf den Wecker zu und beweist damit, dass er weiß, woher das Geräusch kommt, ist er ein guter Kandidat für weiter gehendes Training.

Allen Hunden wird beigebracht, bestimmte Geräusche zu erkennen, doch sie sind auch in der Lage, neue dazuzulernen, wenn sie bei ihren neuen Besitzern sind. Barbara Spano aus New Jersey stellte dies eines Morgens fest, als ihre Pudelhündin Lilly mit den Pfoten hartnäckig ihr Gesicht berührte, um sie zu wecken. Beim Aufstehen spürte Barbara, dass der Fußboden vibrierte. Als sie aus dem Fenster sah, stellte sie fest, dass ein Lkw gegen den Strommast neben ihrem Haus gefahren war. Sie alarmierte die Polizei. Später erfuhr sie, dass sie großes Glück gehabt hatte, dass ihr Haus nicht in Brand geraten war. Durch den Unfall waren alle Elektroleitungen aus der Wand gerissen worden.

Die Hunde, die gehörlosen Menschen helfen, werden zu selbstständigem Denken ermutigt und absolvieren eine umfangreiche Ausbildung. Etwas ganz Besonderes sind sie aber vor allem deshalb, weil sie eine sehr enge Beziehung zu ihren Besitzern aufbauen und alles tun, um Schaden von ihnen abzuwenden.

bedeutet, dass kein Bissen für ihn abfällt und er sich zurückzieht.

Dass Hunde in der Lage sind, allen möglichen Geräuschen Bedeutung beizumessen, hat zu einer Trainingsmethode geführt, die man Clicker-Training nennt. Ein Clicker ist ein kleiner Knackfrosch, der ein klickendes Geräusch produziert, wenn man den Metallstreifen hinunterdrückt und wieder loslässt. Wenn ein Hund ein Kommando befolgt, klickt der Ausbilder oder Besitzer, anstatt zu sagen: »Guter Hund!« Sofort nach dem Klicken bekommt der Hund einen Leckerbissen. Das Clicker-Training arbeitet mit dem Verstand des Hundes, beinhaltet positive Unterstützung und belohnt den Hund für seinen Gehorsam.

Die gleiche Wirkung erzielen Sie bei Ihrem Hund auch mit anderen Geräuschen. Jedes Geräusch, das Ihr Hund mit Lob und Freude assoziiert, wie ein begeistert geäußertes »Ja!« oder ein kurzes Händeklatschen, funktioniert genauso gut.

Es geht immer darum, Geräusche einzusetzen, die Ihr Hund wieder erkennt und die ihm sofort sagen, dass er etwas richtig gemacht hat. Das hilft Ihrem Hund dabei, schneller zu lernen, und Sie werden beide Freude daran haben, dass Ihre Verständigung besser klappt.

Das Räuspern erregt seine Aufmerksamkeit, und Ihr Starren sagt ihm, dass Sie verärgert sind. Er wird nicht lange brauchen, um zu begreifen, was los ist, und schließlich lernen, dass ein Räuspern

KAPITEL SIEBENUNDZWANZIG

LECKERBISSEN

Ebenso wie Menschen freuen sich auch Hunde über etwas Gutes zu essen.
Doch Leckerbissen gibt's nicht nur zum Spaß – sie helfen Ihnen auch dabei,
die Verständigung mit Ihrem Hund zu verbessern.

Hunde lassen sich leicht ablenken und können sich nicht lange konzentrieren, daher ist es nicht immer leicht, sie dazu zu bringen, auf das zu achten, was Sie sagen. Doch sie sind auch zu großer Aufmerksamkeit fähig, vor allem wenn es ums Essen geht. Nichts ist überzeugender als Futter, wenn Sie Ihren Hund erziehen bzw. ihm schlechtes Benehmen abgewöhnen wollen oder nach Mitteln suchen, um ihn bei Laune zu halten.

Ausbilder setzen oft Leckerbissen wie Hundebiskuits, Leberringe oder andere Häppchen ein, um Hunde zu richtigem Verhalten zu ermuntern

Bei der Erziehung hilft ein Leckerbissen diesem Foxterrier, sich zu konzentrieren.

und um dafür zu sorgen, dass sie sich während der Übungen konzentrieren. Dabei spielt es nicht nur eine Rolle, dass die meisten Hunde einfach immer Appetit haben. Von allen Sinnen eines Hundes ist der Geruchssinn der bei weitem empfindlichste, viel empfindlicher als das Gehör oder das Sehvermögen. Bei Gehorsamsübungen bedeuten Wörter wie »Komm!« oder »Sitz!«

Hunden zumindest am Anfang nicht viel. Doch was das duftende Hundebiskuit bedeutet, versteht er sofort. Werden beide Botschaften – ein gesprochenes Kommando und ein starker Geruch – miteinander verknüpft, erleichtert das die Ausbildung ungemein.

Angenommen, Sie bringen Ihrem Hund bei, zu kommen, wenn Sie ihn rufen. Zunächst versteht er das Wort »Komm!« nicht. Es fällt ihm schwer, sich auf das zu konzentrieren, was Sie sagen, weil er wahrscheinlich durch andere Dinge wie eine summende Fliege oder den Geruch des Rasens abgelenkt wird. Wenn Sie jedoch einen Leckerbissen in der Hand halten, wird er sich ganz auf Sie konzentrieren. Der Leckerbissen hilft also auf zwei Arten: Der Hund kann sich besser konzentrieren, und er wird damit belohnt, wenn er auf Sie zurennt.

Die gleiche Methode funktioniert auch dann, wenn Sie Ihrem Hund beibringen wollen, an einer Stelle sitzen zu bleiben. Das Kommando

»Bleib!« ist sehr schwer zu vermitteln, weil Ihr Hund an einer Stelle sitzen bleiben soll, während Sie weggehen. Nach etwa fünf Sekunden, in denen er da sitzt oder liegt, langweilt sich Ihr Hund und sieht sich nach etwas Interessantem um.

Doch das ändert sich, wenn Sie in einiger Entfernung vor ihm einen Leckerbissen auf den Boden legen. Dann spielt auf einmal alles andere keine Rolle mehr. Anstatt verzweifelt darauf zu warten, dass er sich endlich wieder rühren darf, kann er es kaum erwarten, das zu tun, was Sie von ihm wollen.

Wenn Sie Ihrem Hund natürlich jedes Mal einen Leckerbissen geben, wenn er etwas richtig macht, haben Sie bald nicht nur einen wohlerzogenen, sondern auch einen dicken Hund. Wenn Sie mit einem Welpen üben oder mit einem älteren Hund einen Auffrischungskurs absolvieren, sind Leckerbissen gut geeignet, um seine Konzentration und seine Motivation zu fördern. Doch Leckerbissen sollten wohl dosiert gegeben werden. Schließlich wollen Sie ja nicht, dass Ihr Hund völlig aufs Essen fixiert ist. Sobald Ihr Hund die Grundbegriffe gelernt hat, benötigt er den zusätzlichen Anreiz nicht mehr.

Die Kraft der Ablenkung

Leckerbissen unterstützen nicht nur Kommandos wie »Komm!« oder »Bleib!«. Sie können sie auch einsetzen, um Ihren Hund abzulenken, beispielsweise wenn er sich windet, während Sie ihn bürsten, oder wenn er bellt, wenn draußen die Vögel zwitschern. Leckerbissen eignen sich besonders bei problematischem Verhalten wie Bellen – nicht zuletzt allein deshalb, weil Hunde nicht gleichzeitig fressen und bellen können.

Ein Beispiel: Sie versuchen, Ihren Hund davon abzubringen, hinter Autos herzurennen. Während Sie Ihren Hund an der Leine führen, halten Sie einen Leckerbissen bereit. Wenn Sie hören, dass sich ein Auto nähert, überreden Sie Ihren Hund mit dem Leckerbissen, sich hinzusetzen, und sorgen dafür, dass er sich darauf konzentriert und seine Position beibehält, während das Auto vorbeifährt. Sie helfen Ihrem Hund damit, eine schlechte Angewohnheit durch ein Verhalten zu ersetzen, das Sie vorziehen. Leckerbissen beschleunigen diese Entwicklung. Nach einer Weile hat er sich so daran gewöhnt, Autos zu ignorieren, dass er es automatisch tut, selbst wenn es keine Leckerbissen mehr gibt.

Leckerbissen können Sie auch dazu benutzen, Ihren Hund bei Laune zu halten, wenn Sie nicht zu Hause sind. Das ist wichtig, da Hunde sich allein oft langweilen oder ängstlich werden und ihren Gefühlen entweder dadurch Luft machen, dass sie ununterbrochen bellen, anfangen zu buddeln oder an etwas zu kauen. Ein Kauspielzeug oder ein hohler Knochen reichen schon, um dem abzuhelfen. Wenn ein Hund etwas zu tun hat, ist er zu beschäftigt, um Angst oder Langeweile zu haben.

Ein Plastikspielzeug, das mit Leckerbissen gefüllt ist, liefert diesem Samojeden großen Anreiz.

Bildnachweis und Danksagung

(o=oben, u=unten, li=links, r=rechts, M=Mitte).
Abdruckrechte für die Fotos wie nachstehend aufgeführt.

FOTOS:

Ad-Libitum: Stuart Bowey, S. I, VI, VII, 5, 9, 13, 20 o, 20 u, 26, 30, 35 o li, 38, 40, 42, 48, 49, 50, 51 u und o r, 52 u r, 55, 57, 59 o r, 62, 66, 68, 70, 71 u r, 72 o r, 73 u r, 78 o r, 79 u M, 80 u r, 82 u li, 83 u li, M und r, 84 u li, 85 o li, 86, 87 r o, M und u, 88 li o, M und u, 92 u r, 93 u r, 95, 97, 98, 103, 107 u li und M, 109, 111, 112, 116, 117, 120, 122, 124, 128, 134, 136 u li, 137, 140 u M und r, 141, 142, 144, 145, 147, 150, 157, 160.

Auscape International: Français-COGIS, S. 27, 53 o r, 110, 118; Gissey/COGIS, S. 56; Hermeline/COGIS, S. 71 o li, 94, 108, 153; Jean-Michel Labat, S. 25; Labat-COGIS, S. 17, 32, 54 o li, 90; Labat/Lanceau, S. 60, 93 o r; Labat/Lanceau/ COGIS, S. 64; Lanceau-COGIS, S. 47, 89, 152; Varin/Cogis, S. 44.

André Martin: S. 91 o r.

Australian Picture Library: Philip Reeson S. 39.

Behling & Johnson: Norvia Behling, S. 12, 24, 58, 72 u li, 80 o li, 156.

Bill Bachman: S. 85 u li, 102.

Bruce Coleman Ltd: Adriano Bacchella, S. 23, 99; Jörg und Petra Wegner, S. 74 u li, 106.

Dale C. Spartas: S. 10, 14, 37 o r, 59 u li, 63, 78 u li, 91 u li, 115, 130, 138.

FLPA: Gerard Lacz, S. 54 u r, 79 o li.

Foto Natura: Klein/Hubert, S. 74 o r.

Graham Meadows Photography: S. VIII, 2, 53 M li, 73 o li, 127, 129, 136 o r.

Judith E. Strom: S. 6, 146.

Kent und Donna Dannen: S. 37 u li, 46, 52 o li, 105, 123, 132, 161.

NHPA: Susanne Danegger, S. 125.

Oxford Scientific Film: John Mitchell, S. 35 u r.

R. T. Wilbie Animal Photography: S. 34.

Rodale Images: Mitch Mandel, S. II, 41, 85 M r, 126.

Ron Kimball Photography: S. X, 28, 74 u li, 81 u r, 84 o r, 100.

Ron Levy: S. 29.

Stock Photos: Anthony Edgeworth, S. 113.

The Image Bank: Vikki Hart, S. 15; Dag Sundberg, S. 39; Sobel/Klonsh, S. 151.

The Photo Library: S. 119, Brian Stablyk, S. 67; Gordon E. Smith, S. 154; Lorentz Gullachsen, S. 92 o li; Tim Davis, S. 143.

Yves Lanceau/Auscape: S. 8.

ILLUSTRATIONEN:

Chris Wilson: S. 65, 148/149

Für ihre Mitarbeit an diesem Buch dankt der Herausgeber:
Trudie Craig, Peta Gorman, Tracey Jackson

Ein besonderer Dank gilt folgenden Hundehaltern, die ihre Tiere als »Fotomodelle« zur Verfügung gestellt haben:
Len Antcliff und »Bozie«; Kathy Ash und »Max«; Leigh Audette und »Boss«; Tim und Andrea Barnard und »Sam«, »Rigel«, »Tessa«, und »Molly«; Anne Bateman und »Bonnie«; Esther Blank und »Max«; Corinne Braye und »Minne«; Sophie und Joel Cape und »Max« und »Millie«; Matt Gavin-Wear und »Amber«; Robyn Hayes und »Patsy«; Anne Holmes und »Marli«; Sophie Holsman und »Zane«; Fran Johnston und »Tess«; Suzie Kennedy und »Eddie«; Natalie Kidd und »Cisco«; Michael Lenton und »Jasper«; Gish Lesh und »Twister«; Lubasha Macdonald und »Tigra«; David McGregor und »Kelly«; Cameron McFarlane und »Donald«; Chris Wilson und »Julia«

Register

Kursive Ziffern verweisen auf Abbildungen.